RACINE

Phèdre

Tragédie
1677

Texte conforme
à l'édition des Grands Écrivains de la France.

Avec un tableau de concordances chronologiques,
une notice littéraire, des notes explicatives,
des questionnaires, des documents, des jugements,
une lecture thématique et un lexique

établis par

Jean BALCOU
Agrégé de l'Université, Docteur ès Lettres

Nouveaux
Classiques
illustrés
Hachette

Collection dirigée par Hubert Carrier

ÉVÉNEMENTS HISTORIQUES		*LA VIE ET L'ŒUVRE DE RACINE*	
•	**Sous Louis XIII (1610-1643)**		
1624-1642	**Ministère de Richelieu.**		
		•	**L'orphelin de Port-Royal (1639-1658)**
1638	Naissance de Louis XIV.		
		1639	Racine est baptisé à la Ferté-Milon le 22 décembre.
1643	Mort de Louis XIII.		
		1641	Racine perd sa mère.
•	**Régence d'Anne d'Autriche et ministère de Mazarin (1643-1661)**	1643	Racine perd son père. Il est adopté par sa grand-mère Marie Desmoulins, dont la fille sera Mère Agnès de Sainte-Thècle, future abbesse de Port-Royal.
1648	Traités de Westphalie.		
1648-1652	**La Fronde.**		
		1649-1658	**Éducation de Racine à Port-Royal.**
		•	**L'appel des Muses (1660-1665)**
1659	Paix des Pyrénées : la France devient la puissance prépondérante en Europe.		
		1660	Le début du poète courtisan : *La Nymphe de la Seine*.
1660	Mariage de Louis XIV avec Marie-Thérèse.	1660-1661	Deux tragédies non jouées, aujourd'hui perdues : *Asmasie, Les Amours d'Ovide*.
1661	Mort de Mazarin.	1661-1662	Racine à Uzès.
			Un poème : *La Renommée aux Muses*.
		1663	Racine perd sa grand-mère Marie Desmoulins.
•	**Louis le Grand (1661-1685)**	1664	*La Thébaïde* est jouée par la troupe de Molière. Rupture avec Port-Royal.
1665	Colbert contrôleur général des Finances.	1665	Premier succès : *Alexandre*. Brouille avec Molière.

ISBN 2.01.002941.0

ÉVÉNEMENTS LITTÉRAIRES

• Sous le règne de Corneille (1635-1651)

1635	Naissance de Quinault. De La Pinelière : *Hippolyte*.
1636	*Le Cid*. Naissance de Boileau.
1637	*Discours de la Méthode*.
1638	Mort de Jansénius, évêque d'Ypres.
1640	*Horace*. *Augustinus*.
1642	*Cinna*.
1643	*Polyeucte*.
1646	Naissance de Jules Hardouin-Mansart. Gilbert : *Hippolyte ou le garçon insensible*.
1650	Mort de Descartes.
1651	*Nicomède*.

• La génération classique (1655-1685)

1655	Pascal à Port-Royal.
1656-1657	*Les Provinciales*.
1659	*Les Précieuses ridicules*.
1660	Premières *Satires* de Boileau.
1662	Mort de Pascal. Molière : *L'École des femmes*.
1663	*Astrate* de Quinault.
1664	*Le Tartuffe*.
1665	*Maximes* de La Rochefoucauld. Molière : *Don Juan*.
1666	Molière : *Le Misanthrope*.

LA VIE INTELLECTUELLE, RELIGIEUSE ET ARTISTIQUE

• Autour de Port-Royal (1625-1653)

1625-1626	**Fondation de Port-Royal de Paris.** (Port-Royal des Champs existe depuis le XIIIe siècle).
1637	Les premiers Solitaires. Les Petites Écoles.
1642	Condamnation de l'*Augustinus*.
1648	Les Solitaires s'installent aux Granges. Mort du peintre Louis Le Nain.
1653	**Condamnation du jansénisme.**

• Un demi-siècle de splendeurs (1656-1690)

1656-1659	Construction de Vaux-le-Vicomte.
1660	Lulli à la Cour.
1661	**Début de la construction de Versailles.**
1663	Académie royale de Peinture et de Sculpture.
1664	L'affaire du formulaire.
1665	Le Jardin des Plantes. Mort de Poussin.
1665-1669	Action contre les Religieuses rebelles. Soumission de compromis.

ÉVÉNEMENTS HISTORIQUES	
1667	Guerre de Dévolution.
1668	Paix d'Aix-la-Chapelle.
1672	**Guerre de Hollande** (1672-1678) : passage du Rhin et conquête de la Hollande.
1675	Campagne de Turenne en Alsace. Sa mort.
1678	Paix de Nimègue. « Louis le Grand ».
1679	L'Affaire des poisons. Ouverture d'une Chambre ardente.
1680	La Voisin brûlée en place de Grève.
1683	Mort de Marie-Thérèse et de Colbert.
1684	Mariage secret du Roi avec Madame de Maintenon.
1685	**Révocation de l'Édit de Nantes.**
•	**Guerres et déclin (1685-1715)**
1688-1697	**Guerre de la Ligue d'Augsbourg.**
1693-1694	La grande famine.
1697	Paix de Ryswick.

LA VIE ET L'ŒUVRE DE RACINE	
•	**Une décade triomphale (1667-1677)**
1667	Triomphe d'**Andromaque.** Racine se lie avec la comédienne Thérèse du Parc.
1668	*Les Plaideurs,* comédie. Thérèse du Parc meurt empoisonnée.
1669	Échec de **Britannicus.**
1670	**Bérénice.**
1672	*Bajazet.*
1673	*Mithridate.* Entrée à l'Académie.
1674	Triomphe d'**Iphigénie.**
1669-1677	Liaison de Racine avec la Champmeslé.
1677	**Phèdre.** Cabale de *Phèdre.* Racine est nommé historiographe du Roi, abandonne le théâtre, épouse Catherine de Romanet, se réconcilie avec Port-Royal.
•	**Au service du Roi (1677-1691)**
1679	Racine, Boileau et Thomas Corneille écrivent en collaboration le livret de *Bellérophon,* dont la musique est de Lulli.
1682	Ébauche d'un opéra, *Phaéton,* en collaboration avec Quinault.
1684	*Idylle sur la Paix,* poème.
1687	Édition complète du théâtre de Racine.
1689	**Esther.** Racine est nommé gentilhomme ordinaire du Roi.
1691	**Athalie.**
•	**Pieuse vieillesse (1693-1699)**
1693-1698	*Abrégé de l'histoire de Port-Royal* (publié en 1742).
1698	*Cantiques spirituels.*
1699	**Racine meurt le 1er avril.** Il est enterré à Port-Royal.

ÉVÉNEMENTS LITTÉRAIRES		LA VIE INTELLECTUELLE, RELIGIEUSE ET ARTISTIQUE	
1668	Premier recueil des *Fables* de La Fontaine. Molière, *L'Avare*.	1666-1670	Colonnade du Louvre de Perrault.
1669	Bossuet, *Oraison funèbre d'Henriette de France*.	1669	Port-Royal se désolidarise de Port-Royal des Champs. Mort de Rembrandt.
1670	Édition posthume des *Pensées* de Pascal. Boileau, premières *Épîtres*. *Le Bourgeois gentilhomme*. *Tite et Bérénice* de Corneille. Bossuet, *Oraison funèbre d'Henriette d'Angleterre*.	1670	Début de la construction des Invalides.
1671	*Bellérophon* de Quinault.		
1672	*Ariane* de Thomas Corneille.	1672	Fondation de l'Académie royale de musique. Lulli directeur.
1673	*Le Malade imaginaire*. Mort de Molière. *Cadmus et Hermione* de Quinault et Lulli.		
1675	Bidar fait imprimer à Lille son *Hippolyte*.	1676	Mansart à Versailles.
1677	Boileau historiographe.	1677	L'Observatoire.
1678	*La Princesse de Clèves*. Second recueil des *Fables* de La Fontaine.		
•	**L'éveil de l'esprit philosophique (1682-1715)**	1682	**Installation de la Cour à Versailles.** Newton découvre la loi de l'attraction universelle.
1682	Bayle *Pensées diverses sur la comète*.		
1684	Mort de Corneille.	1684	La galerie des glaces.
		1685	Place Louis-le-Grand (place Vendôme).
		1686	Madame de Maintenon fonde la maison de Saint-Cyr dont l'architecte est Mansart.
1688	Mort de Quinault. La Bruyère, *Les Caractères*.	1688	Achèvement du palais de Versailles.
1687-1694	Querelle des Anciens et des Modernes.	1690	Machine à vapeur expérimentale.
1694	Naissance de Voltaire. Dernier livre des *Fables*.	1694	Mort du sculpteur Pierre Puget. *Circé*, opéra de Marc-Antoine Charpentier.
1695	Mort de La Fontaine.	1695	Mort du physicien Huygens.
1697	Bayle, *Dictionnaire historique et critique*.		
1699	Fénelon, *Télémaque*.		

Notice sur Phèdre

1 Le chef-d'œuvre de Racine

• *Le chef-d'œuvre de la maturité.*

En 1677, Racine a trente-sept ans.
Dix ans se sont écoulés depuis la représentation de son premier chef-d'œuvre, *Andromaque*.
Il y a deux ans et demi, *Iphigénie* fut un triomphe.
Phèdre est la troisième tragédie grecque de Racine.
C'est sa neuvième tragédie, ou plutôt sa... « neuvième symphonie » (J.-L. Barrault).
Écoutons Racine juger sa pièce : « Au reste, je n'ose encore assurer que cette pièce soit en effet la meilleure de mes tragédies » (Préface de *Phèdre*).

• *Le chef-d'œuvre de l'art tragique.*

Phèdre est d'abord un approfondissement et le couronnement des tragédies antérieures.
Car, du théâtre grec, Racine a tiré le pathétique des êtres en proie à la cruelle destinée. Mais tout cela est revécu à travers la vision janséniste du monde. *Phèdre* met en scène la misère et la grandeur de l'humanité pécheresse.
Ainsi *Phèdre*, tragédie sacrée, annonce aussi *Athalie*.

• *Le chef-d'œuvre de l'art classique.*

Une histoire scandaleuse et violente des temps primitifs de la Grèce :
- contenue facilement dans le cadre des unités,
- épurée par la noblesse du style
  et par la « tristesse majestueuse » du spectacle,
- sauvée par la moralité qui s'en dégage.

Des personnages profondément individualisés
et en même temps universels.
La perfection des alexandrins : « Quels vers! Quelles suites de vers! Y eut-il jamais dans aucune langue humaine rien de plus beau ? » (A. Gide.)
Mais ce chef-d'œuvre va déclencher une véritable bataille...

2 La cabale de Phèdre, « le modèle des cabales » (Picard).

• *Les représentations.*

Le vendredi 1er janvier 1677, c'est la première de *Phèdre et Hippolyte* de Racine, jouée par la troupe de « l'hôtel de Bourgogne ».

Le dimanche 3 janvier 1677, *Phèdre* de Pradon, qui avait pu se procurer le texte de Racine, est jouée par le théâtre Guénégaud.

• *Les partis opposés.*

Deux factions littéraires

les partisans de Racine (Boileau) qui sont en même temps les partisans des Anciens, en tête desquels Condé.	les partisans de Corneille (Jacques Pradon est natif de Rouen) qui sont en même temps les partisans des Modernes.

Deux clans rivaux

Racine est le protégé de Madame de Montespan et de la cour.	Pradon est le protégé du clan des Mancini (famille de Mazarin) : duc de Nevers, duchesse de Bouillon, comtesse de Soissons.

Le point culminant de l'affaire fut un échange de sonnets injurieux entre l'hôtel de Nevers et les défenseurs de Racine et de Boileau. Notons qu'une étude des comptes des deux théâtres montre bien que l'histoire des loges louées par les ennemis de Racine à l'hôtel de Bourgogne est fausse.

Conclusion
L'échec de Racine ne fut que momentané, le succès de Pradon durant à peu près trois mois.
On n'aurait pas parlé de cette bataille, si elle n'avait marqué un moment important dans la carrière de Racine.

3 L'année cruciale

• *Le silence de Racine.*

Après *Phèdre*, Racine n'écrira plus que deux pièces sur commande, *Esther* (1689) et *Athalie* (1691), qui ne seront pas jouées par des comédiens. Plusieurs raisons ont été avancées sur cette retraite de Racine.
Écartons :
- le dépit de l'auteur devant la cabale de *Phèdre*,
- le prétexte d'un épuisement de l'inspiration, démenti quatorze ans plus tard par *Athalie*,
- et même la vogue grandissante d'un nouveau genre, l'opéra.

Demandons-nous plutôt si l'engagement que semble prendre Racine à la fin de la Préface de *Phèdre* (faire du théâtre une école de vertu) n'a pas conduit Racine à une sorte d'impasse (J. Pommier).

Remarquons surtout, avec les critiques contemporains, que l'année de *Phèdre* marque un changement décisif, une sorte de « conversion » dans la vie de Racine.

• *La « conversion » de Racine.*

Un événement capital : en septembre 1677, Racine est nommé avec Boileau « historiographe » du roi : le roi a commandé aux deux poètes « de tout quitter » (lettre de Mme de Sévigné, 13 octobre); « la poésie m'est interdite » (lettre de Boileau).
Il reste à Racine à se marier : le 1er juin 1677 il épouse Catherine de Romanet.
Phèdre enfin marque la réconciliation définitive avec Port-Royal : « Désormais, Racine, homme de théâtre, n'est-il pas prisonnier de sa conversion »? (Sainte Beuve.)
Conclusion : Bien sûr, que d'obscurités encore! On ne peut que s'interroger sur les mobiles d'un homme à un moment crucial de sa vie.

4 Analyse méthodique de l'action

ACTE I. Les deux aveux.

SCÈNE 1 Hippolyte annonce à son gouverneur Théramène son dessein de quitter Trézène. Il veut, dit-il. se mettre à la recherche de Thésée, son père, absent depuis six mois. En réalité, comme il finit par l'avouer à Théramène, il aime Aricie, une princesse déchue que des raisons politiques lui interdisent d'aimer. Mais avant de partir, il doit saluer Phèdre.

SCÈNE 2 Or voici que, minée par un mal mystérieux, la Reine s'avance, ordonnant d'écarter tout le monde.

SCÈNE 3 Décidée à mourir, elle vient dire adieu au Soleil. Mais Phèdre avoue bientôt à Œnone, sa nourrice, le fatal secret qui la ronge. Poursuivie par la malédiction des dieux, elle est passionnément éprise de son beau-fils. Elle n'en est que davantage décidée à mourir.

SCÈNE 4 Or voici qu'on annonce la mort de Thésée. Athènes déjà prépare la succession, où trois partis se disputent le trône vacant : celui d'Hippolyte, celui de Phèdre et de son fils, celui d'Aricie.

SCÈNE 5 Mais c'est surtout l'occasion pour Œnone de détourner sa maîtresse de son « affreux dessein » de mourir : elle doit vivre; désormais son intérêt la lie à Hippolyte.

ACTE II. Les deux déclarations.

SCÈNE 1 Avant son départ, Hippolyte a demandé un rendez-vous à Aricie : la voici, avec sa confidente Ismène, qui s'interroge sur l'attitude du jeune homme. Aricie avoue qu'elle aime Hippolyte et Ismène lui déclare qu'elle s'est rendu compte qu'Hippolyte l'aimait aussi.

SCÈNE 2 Le voici qui vient. Après des considérations d'ordre politique, il laisse éclater sa passion et se déclare à la jeune fille.

SCÈNE 5 Mais déjà, la Reine s'avance. Et malgré elle, en présence de celui qu'elle aime, elle laisse éclater son amour. Ivre de volupté, de tendresse et d'horreur, elle se déclare au jeune homme, muet de stupeur. Phèdre arrache alors son épée à Hippolyte, prête à se tuer. Mais Œnone l'entraîne, à demi évanouie.

SCÈNE 6 Théramène en effet est là, porteur de nouvelles : les bateaux sont prêts, Athènes s'est déclaré pour Phèdre, le bruit court que Thésée n'est pas mort, ce qui risque de retarder le départ d'Hippolyte.

ACTE III. Le retour du roi.

SCÈNE 1 Phèdre se remémore la terrible scène avec Hippolyte, mais elle ne veut pas voir la vérité. Malgré les conseils d'Œnone, loin qu'elle résiste à la passion, elle est pleine d'espoir et prête à tout pour l'assouvir. Elle charge Œnone de tenter tous les moyens auprès du prince.

SCÈNE 2 Restée seule, elle analyse avec horreur la situation. Mais qu'importe! Et d'implorer Vénus : qu'Hippolyte aime à son tour! Mais déjà Œnone revient, sans avoir accompli sa mission.

SCÈNE 3 Car Thésée vient d'arriver. Dans son affolement, Phèdre aspire une fois de plus à la mort. Quel déshonneur pour elle et ses enfants! Mais Œnone est là, qui peut encore tout sauver : pourquoi ne pas accuser Hippolyte? Dès qu'elle le voit entrer avec son père, son choix est fait : elle s'abandonne à Œnone.

SCÈNES 4 et 5 Phèdre fait donc à son époux un accueil glacé, plein de sous-entendus. Là-dessus, Hippolyte demande à son père l'autorisation de partir. Que veut dire un tel accueil? Pouquoi rentrer dans de telles conditions? Il s'agit à présent de mener l'enquête et de découvrir le crime et le coupable.

SCÈNE 6 A Hippolyte d'exprimer à son tour son désarroi. Mais, quoi qu'il arrive, un innocent n'a rien à redouter. En tout cas, il est décidé à tout faire pour ne pas renoncer à sa passion.

ACTE IV. La condamnation.

SCÈNE 1 Œnone susurre l'air de la calomnie, et Thésée laisse éclater sa rage.

SCÈNES 2 et 3 Mais voici Hippolyte que Thésée écrase de sa malédiction. Le jeune homme a beau se défendre de toute sa noblesse d'âme et avouer son amour pour Aricie, il se heurte à l'aveuglement de son père qui le voue à la vindicte de Neptune.

SCÈNE 4 Mais Phèdre, qui a entendu les cris de son époux, s'est arrachée des bras d'Œnone, sans doute prête à dire la vérité. Mais Thésée a le malheur de lui apprendre l'amour de son fils pour Aricie.

SCÈNE 5 Quel terrible coup pour Phèdre! Son martyre rencontre ce bonheur : et elle irait défendre Hippolyte?

SCÈNE 6 Devant Œnone qui surgit, affolée, Phèdre exprime tous les tourments de la jalousie : avec une lucidité impitoyable, elle savoure son humiliation, tout en se laissant emporter par son délire. Où cacher sa honte désormais? Dans son imagination, elle voit l'abîme de l'enfer, béant. Et devant son crime, Phèdre a un dernier sursaut : elle renvoie Œnone en la maudissant.

ACTE V. L'expiation.

SCÈNE 1 Au moment de partir en exil, Hippolyte demande à Aricie d'oser le suivre et justifie devant la jeune fille son attitude à l'égard de son père. S'il veut fuir avec elle, c'est pour défendre leurs intérêts communs. Du reste, ils se marieront au temple qui se trouve aux portes de la ville. Aricie accepte de l'y rejoindre.

SCÈNE 2 Mais Thésée a aperçu Hippolyte avec Aricie : le jeune homme aurait-il dit vrai?

SCÈNE 3 Pour cacher son trouble, Thésée ironise. Mais Aricie proteste, défend son amour, insinue l'accusation.

SCÈNE 4 Thésée, ébranlé, décide d'interroger une seconde fois Œnone.

SCÈNE 5 Or on vient lui apprendre que la nourrice s'est noyée et que la Reine est dans un état d'étrange exaltation. De plus en plus anxieux, Thésée implore la grâce de Neptune.

SCÈNE 6 Mais la prière à Neptune a été exaucée : déjà Théramène est de retour, qui relate la mort d'Hippolyte, rapporte les dernières paroles du prince, fait état de la douleur d'Aricie.

SCÈNE 7 Entre-temps, Phèdre s'est empoisonnée. Avant de mourir, elle vient confesser sa faute. A Thésée d'expier à son tour : il va rendre les honneurs funèbres à Hippolyte et adopter Aricie.

Pour sa pièce, Racine s'est évidemment inspiré de l'Antiquité. Pour mieux la comprendre, il est nécessaire de remonter aux sources de la fable.

5 La légende de Phèdre, d'Hippolyte et de Thésée

• *Un peu de géographie.*

Trois territoires :

1. La Crète : **PHÈDRE**
2. L'Attique : **THÉSÉE**
3. Le Péloponnèse (Trézène) : **HIPPOLYTE**

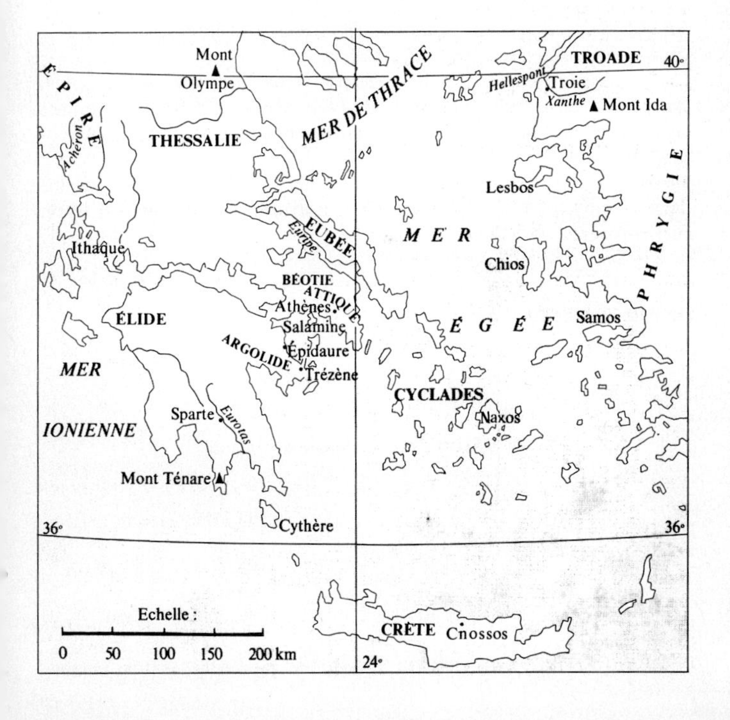

• *De l'histoire écoutée aux portes de la légende...*

Du côté de la Crète.

Avant la guerre de Troie (XIe siècle avant J.-C.) : hégémonie de la Crète.

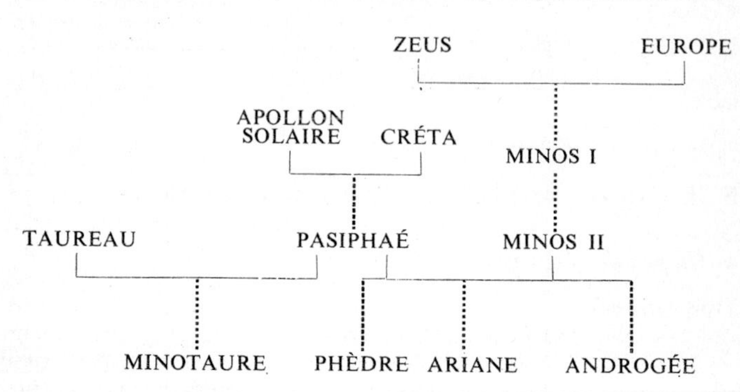

Un modèle : MINOS, incarnation de la Sagesse, donna des lois à la Crète, devint l'un des juges des Enfers.

Une victime : PASIPHAÉ, poursuivie par la haine de Vénus (le Soleil, son père, avait dévoilé aux dieux de l'Olympe les amours clandestines de Vénus et de Mars), s'éprit d'un taureau et donna naissance au Minotaure.

Un monstre : LE MINOTAURE, moitié homme, moitié taureau, fut enfermé dans le labyrinthe de Cnossos que construisit Dédale, père d'Icare, sur les ordres de Minos.

Du côté d'Athènes et de Trézène.

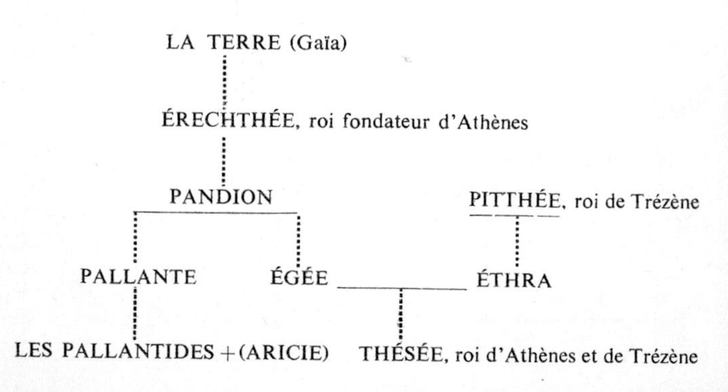

La geste de Thésée : Héros tutélaire de l'Attique, c'est lui qui organisa les bourgades d'Athènes en une seule cité (ce fait est appelé par les historiens le « synœcisme »).
Les Athéniens modelèrent la légende de Thésée pour faire pièce à celle de l'Héraklès *dorien* (Alcide) : on lui attribue pour père Poséidon (Neptune), lui aussi fut un géant exterminateur de brigands, de monstres, d'animaux féroces. (Voir *Phèdre*, I, 75-82).

Le conflit entre Athènes et la Crète.
Athènes resta sans doute assez longtemps soumise à sa métropole crétoise à qui elle devait verser un tribut. (La civilisation crétoise nous échappe encore en grande partie, car la langue n'a pas jusqu'à présent livré tous ses secrets. Nous pouvons en revanche admirer les splendeurs de l'art crétois, surtout dans la peinture et l'architecture.)
Alors on imagina que, des Athéniens ayant tué Androgée, le frère de Phèdre, Minos vainquit Égée et l'obligea à lui livrer chaque année sept jeunes gens et sept jeunes filles qu'il donnait à dévorer au Minotaure.
C'est Thésée qui triompha du Minotaure : il enleva Ariane qui lui donna le fameux fil (voir *Phèdre*, II, 641-662) qui lui permit de sortir du labyrinthe, puis l'abandonna dans l'île de Naxos, où elle reçut la visite de Dionysos. Le destin d'Ariane s'acheva dans les cieux, où elle devint la constellation qui porte son nom.

Les deux mariages de Thésée.
Thésée avait eu aussi à s'attaquer aux redoutables Amazones, ces femmes guerrières de la région du Pont-Euxin, que conduisait Antiope. Thésée là encore fut vainqueur. On suppose qu'il épousa leur reine. Ce fut, dit-on, le premier mariage de Thésée. Toujours est-il qu'un fils en naquit : ce fut Hippolyte.
Puis Thésée épousa Phèdre.

ANTIOPE ______________ THÉSÉE ______________ PHÈDRE

HIPPOLYTE ACAMAS DÉMOPHON

La légende de Phèdre et d'Hippolyte.
La légende ne naquit qu'au VIe siècle avant J.-C.
Puis elle se développa au Ve siècle, sous l'influence des grands tragiques grecs et des peintres, avant que Rome à son tour ne la consacrât.
Mais la principale figure de la fable était Hippolyte. On représentait Hippolyte comme un jeune chasseur; voué au culte d'Artémis (Diane), il méprisait Aphrodite (Vénus). La déesse de l'amour se vengea en inspirant à Phèdre une passion violente pour son beau-fils. Furieuse de se

voir repoussée, elle accusa faussement Hippolyte auprès de Thésée de lui avoir fait outrage. Pour punir son fils, il implora Neptune qui lui avait promis, car Thésée avait nettoyé les rivages des brigands qui les infestaient, d'exaucer les trois vœux qu'il voudrait et Neptune suscita un monstre marin qui fit périr Hippolyte. Phèdre, de désespoir, se donna la mort.
La légende raconte encore qu'Hippolyte fut ressuscité par Asclépios (Esculape) et qu'à sa mort il devint la constellation du Cocher. Notons aussi, d'après Virgile, qu'à Aricie, cité d'Italie fondée par des colons grecs au pied des monts Albains, le génie local Virbius (*vir bis vivus* : homme deux fois vivant) fut identifié à Hippolyte.
Mais l'archéologie nous renseigne aussi : à Trézène, Hippolyte avait un sanctuaire, où les jeunes filles, avant de se marier, venaient consacrer une boucle de leurs cheveux. Le stade portait le nom d'Hippolyte. Enfin on montrait encore au IIe siècle après J.-C. le monument d'Hippolyte près du tombeau de Phèdre.

• *Les grands interprètes de la légende.*

Chez les Grecs : Euripide. Sa tragédie, *Hippolyte porte-couronne*, fut représentée en 428 avant J.-C. A Trézène. Hippolyte et Phèdre sont les victimes du combat que se livrent Aphrodite et Artémis.

Chez les Latins : Sénèque. Sa tragédie, *Phèdre*, fut écrite entre 49 et 62 après J.-C. La scène est à Athènes. Phèdre devient le personnage principal : elle incarne l'amour sans honte et la fureur vengeresse. La rivalité des dieux a laissé la place à la violence des passions humaines.

Racine imitera essentiellement d'Euripide les scènes (principalement la scène de l'aveu, I, sc. 3) où Phèdre se comporte en épouse, de Sénèque celles (principalement la scène de la déclaration, II, 5) où elle se comporte « en veuve » (J. Pommier).

6 La cérémonie tragique

NAISSANCE DE LA TRAGÉDIE

• *Le poids du passé.*

« C'est le poids de nos ancêtres qui continuent de vivre en nous et nous dictent notre conduite, de ces « revenants » dont Ibsen a dit, dans un chef-d'œuvre, l'obscure tyrannie ». (A. Adam.)

HIPPOLYTE

- Élevé par « le sage Pitthée » (v. 1103) loin d'Athènes.
- « Élevé dans le sein d'une chaste héroïne » (v. 1101) mais qui est aussi une Amazone « barbare » (v. 787).
- Mais aussi fils de Thésée, l'aventurier de l'amour, le héros révolté (v. 73-94).

PHÈDRE

- La fille de Minos : le juste,
- et de Pasiphaé (v. 36) : le monstre.
- Mais aussi la proie de Vénus (v. 306) : une sorte de péché originel.

• *La situation actuelle.*

Thésée avait massacré les cinquante Pallantides qui avaient conspiré contre lui en vue de s'emparer du trône d'Athènes. Ces cinquante, sans doute par respect des bienséances, ne seront plus que six chez Racine (*Phèdre*, II, v. 424). Toujours est-il que c'est pour se purifier de ce meurtre que Thésée est venu à Trézène où est élevé Hippolyte.
Accompagnaient Thésée : Phèdre, son épouse, et Aricie, devenue sa prisonnière, car Racine, par nécessité dramatique, a fait de ce personnage que lui a suggéré un souvenir de Virgile, la sœur des Pallantides. L'hymen lui est évidemment interdit, Thésée ne voulant pas qu'elle ait d'héritier (*Phèdre*, II, v. 427-430).
Or, à l'occasion d'un voyage que fit Hippolyte à Athènes, Phèdre s'éprit violemment de son beau-fils.
Mais Thésée a quitté Trézène pour une mystérieuse expédition, après avoir confié les deux femmes aux soins du jeune homme.
Et depuis six mois que Thésée est absent :
à Trézène, la passion de Phèdre s'est brutalement réveillée et la malheureuse Reine dépérit d'un mal mystérieux;
Hippolyte, à son tour, est tout transformé : où est à présent le jeune homme qui s'adonnait à la saine passion de la course et de la chasse?

DÉROULEMENT DE LA TRAGÉDIE

• *Vue d'ensemble.*

Unité de temps :

- du matin, où Hippolyte veut partir à la recherche de son père, où Phèdre, victime de sa passion, a décidé de mourir,
- au soir où Hippolyte, chassé par son père, est tué aux portes de la ville, où Phèdre se donne la mort.

Unité de lieu :
le port de Trézène, avec son palais voûté[1], où les personnages, en proie à leur passion, étouffent, mais aussi avec sa plage où l'on s'entraîne à la course, avec sa forêt où l'on chasse, avec son temple qui domine les tombeaux, et la mer, au loin, avec Neptune et ses monstres, appel de l'aventure et de la mort.

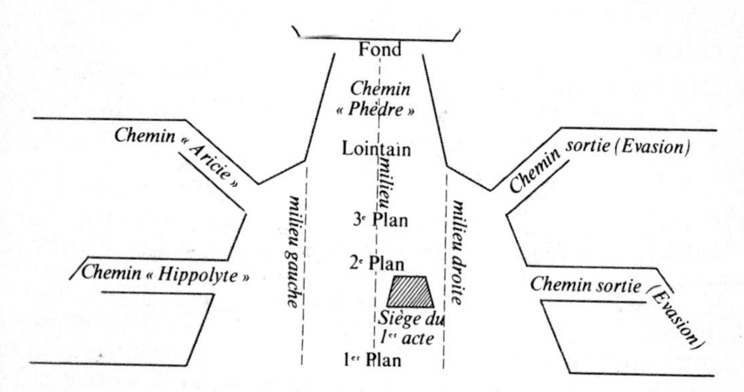

Plan d'une scène pour Phèdre imaginé par J.-L. Barrault.
On peut imaginer une sorte de portique où Phèdre vient chercher la lumière, d'où Hippolyte brûle de partir, où Thésée revient.

Unité d'action :

C'est, essentiellement, l'expression et l'aboutissement de la grande passion de Phèdre.
Mais deux péripéties nécessaires :
- l'annonce de la mort de Thésée (I, scène 4) qui permet à cette passion de se déclarer,
- le retour inattendu de Thésée (III, v. 825 sqq.) qui force cette passion à aller jusqu'au bout.

• *L'action proprement dite.*

« Le poème tragique vous serre le cœur dès son commencement, vous laisse à peine dans tout son progrès la liberté de respirer et le temps de vous remettre (...). Il vous conduit à la terreur par la pitié, ou récipro-

1. Anachronisme archéologique, car la civilisation grecque ne connaissait pas la voûte. Cette indication scénique s'appuie sur le vers 854 et le témoignage du décorateur de l'Hôtel de Bourgogne : « Le théâtre est un palais voûté ».

quement, à la pitié par le terrible; vous mène par les larmes, par les sanglots, par l'incertitude, par l'espérance, par la crainte, par les soupirs et par l'horreur, jusqu'à la catastrophe. » (La Bruyère.)

Thésée centre de l'action.

Absence de Thésée	*Quand Thésée revient*
Amour d'Hippolyte pour Aricie. Amour de Phèdre pour Hippolyte.	Phèdre laisse accuser Hippolyte. Thésée condamne Hippolyte.

THÉSÉE

Fausse nouvelle de la mort de Thésée	*Quand Thésée a appris la vérité*
Déclaration d'Hippolyte à Aricie. Déclaration de Phèdre à Hippolyte.	Il réhabilite Hippolyte. Il adopte Aricie.

Le rythme dramatique : le rythme de la peur et de l'espoir.

HIPPOLYTE : Un départ sans cesse différé.

Des vaisseaux prêts à partir, qui ne quitteront pas le port.

• Hippolyte a décidé de partir à la recherche de son père. (I, v. 1.) En réalité il fuit Aricie. (I, v. 50.)	mais c'est la situation politique à Athènes qui le réclamera. (I, v. 332.) → départ qui change d'objet.
• Malgré la mort de son père, départ sous le signe du bonheur : car il s'est déclaré à Aricie. (II, sc. 2.) et Aricie a agréé son amour. (II, sc. 3.)	après la déclaration de Phèdre, et surtout la nouvelle que Thésée n'est peut-être pas mort. → départ sans doute retardé. (II, v. 733-735.)
• Dès le retour du roi, Hippolyte prie son père de le laisser partir sur-le-champ à la recherche de la gloire. (III, sc. 5.)	→ c'est en criminel qu'il sera chassé par Thésée. (IV, sc. 2.)
• Obligé de partir, Hippolyte a décidé d'emmener Aricie après l'avoir épousée. (V, sc. 1.)	→ c'est vers la mort qu'il s'en ira (V, sc. 7.)

PHÈDRE : Une mort sans cesse différée.

• Phèdre a décidé de mourir pour ne point avouer son funeste secret.
(I, sc. 3.)

• Un moyen de concilier amour et mort :
c'est de se tuer à la fin de sa déclaration à Hippolyte.
(II, v. 710.)

• A la nouvelle du retour de Thésée il ne reste à Phèdre que le déshonneur et la mort.
(III, v. 857.)

• Lorsqu'elle découvre la jalousie et qu'elle se rend compte qu'elle est « jusqu'au dernier soupir de malheurs poursuivie ».
(IV, v. 1294.)

• Au comble du remords et du malheur, elle rend enfin au jour qu'elle souillait toute sa pureté.
(V, sc. 7.)

mais
elle l'avoue à Œnone qui, à la nouvelle que Thésée est mort, la ramène à la vie.
(I, sc. 3 et 5.)

Hippolyte reste interdit et Phèdre est emportée par Œnone.
(II, sc. 5 et 6.)

La vie de sa maîtresse est pour Œnone « d'un prix à qui tout cède », l'innocence dût-elle être accusée.
(III, sc.. 3.)

Œnone lui demande encore d'accepter sa situation en la considérant comme une loi de la nature.
(IV, v. 1302.)

Le développement d'une passion.

• *Phèdre et ses protagonistes.*

A chaque protagoniste Phèdre est liée par un sentiment violent, comme le montre le schéma suivant :

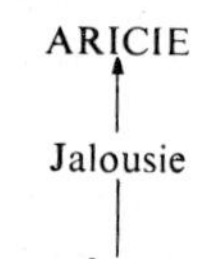

HIPPOLYTE ← Amour — PHÈDRE — Remords → THÉSÉE

• *La passion de Phèdre.*

Ce qui frappe, en effet, c'est de voir à quel point l'action de la pièce est subordonnée à la passion de Phèdre. Une atmosphère inquiétante nous prépare au récit de la scène 3 de l'acte I : c'est le coup de foudre de la rencontre entre Hippolyte et Phèdre à Athènes, le réveil de l'amour

à Trézène, et maintenant qu'elle n'est plus que passion (*C'est Vénus toute entière à sa proie attachée*) et qu'elle croit Thésée mort, c'est le délire de la déclaration à Hippolyte (II, sc. 5).
Conséquence inévitable : les deux premières scènes de l'acte III nous montrent Phèdre abdiquant devant sa passion jusqu'à en assumer toute honte. Affolée par le retour de Thésée, elle ne pense qu'à elle et son silence criminel condamne Hippolyte (III, sc. 3 et IV, sc. 1).
Mais toutes ces épreuves ne sont qu'un « faible essai du tourment » qu'elle doit endurer : il reste à Phèdre à subir l'épreuve de la jalousie (IV, sc. 5 et 6).
C'est là que le destin de Phèdre se noue à celui d'Hippolyte et d'Aricie.
Hallucination — **folie** — **angoisse** vont se développer jusqu'à l'ultime délivrance (V, sc. 7) (Racine : *le dénouement doit sortir du sein de la fable)*.

7 Évolution des personnages

• *Le couple tragique : Phèdre et Hippolyte.*

Bien qu'elle appartienne à un monde de dieux et de monstres, Phèdre est un personnage d'une humanité bouleversante : dès la *Préface*, Racine nous avertit qu'elle n'est « ni tout à fait coupable ni tout à fait innocente ». La périphrase du vers 36 définissant Phèdre comme « la fille de Minos et de Pasiphaé » signifie que sa nature est marquée par une double postulation vers la justice et vers le vice. Et, au-delà de cette hérédité qui engage son destin, menace la toute-puissance des dieux : attachée à sa proie, Vénus assouvit sa fureur vengeresse.
Victime toute désignée par son caractère de névrosée (voir son apparition à la scène 3 de l'acte I) qu'excite la complaisance dans le désir du rêve et le rêve du désir (voir particulièrement sa déclaration à Hippolyte, II, sc. 5, v. 634-662), Phèdre incarne avant tout l'amour.
Petite reine « incandescente », comme dit Valéry, mais aussi grande hystérique de la passion. Cette passion irrésistible, dévastatrice, qui ira jusqu'à l'accusation criminelle, a naturellement des accents d'une effrayante violence : violence des insultes par laquelle s'achève la déclaration à Hippolyte, violence qui ouvre cet acte III où Phèdre est prête à tout pour assouvir sa folie, violence hallucinante de l'acte IV quand Phèdre découvre les tourments de la jalousie.
Mais la violence n'exclut pas la tendresse. La romanesque nostalgie de Phèdre évoque avec douceur le regret d'un paradis perdu : de quel bonheur elle eût joui si l'aventure de Thésée et d'Ariane eût été l'aventure d'Hippolyte et de Phèdre, et quelle paix semble se concevoir pour elle, assise à l'ombre des forêts ou partageant au grand jour un grand amour! Mais cette tendresse ne laisse pas d'avoir un caractère équivoque, qui a sans doute sa source dans l'aspect maternel du personnage de

Phèdre. Révélatrice son attitude à l'égard de ses propres enfants, quand elle reste seule après la mort d'Œnone : tantôt elle les baigne de pleurs, tantôt elle les repousse avec horreur (V, sc. 5). Mais, en fait, pour Phèdre, les enfants n'ont guère d'importance. Un seul être compte, qui puisse satisfaire à la fois et l'amante et la mère : c'est Hippolyte, qui doit avoir l'âge d'être son grand fils. Et c'est là le caractère incestueux de Phèdre : le véritable inceste (à Athènes une veuve pouvait épouser le fils de son mari. C'est le droit romain et, à la suite, le droit canonique qui l'interdisent), celui que Phèdre ressent même si nous le ressentons moins aujourd'hui, est bien « cette sorte d'inceste naturel qui pousse une femme de quarante ans vers un jeune homme qui pourrait être son fils » (J. Pommier).

C'est précisément pour échapper à cette condition où tout sentiment, si noble soit-il, est vicié en lui-même, que Phèdre a choisi de mourir. Car ce qui fait la grandeur et l'humanité de Phèdre, c'est cette obsession de la faute. « Honte », « rougeur », « coupable » sont des mots d'une fréquence lancinante. Au moment de mourir (V, 7) elle a voulu exposer son remords en confessant son crime alors qu'elle eût pu se tuer sans rien dire. Le dernier mot qu'elle prononce est le mot « pureté », consciente jusqu'au bout de son péché et c'est ce qui, en définitive, peut la racheter.

Instable et impatient : tel nous apparaît Hippolyte dès la première scène. Cet athlète beau et « superbe », qui paraissait si sûr de lui, est à son tour victime de Vénus. D'où la gêne qu'il éprouve devant l'attitude de Thésée, scandaleux aventurier de l'amour (I, sc. 1).

Lui aussi aime d'un amour irrésistible celle qu'il ne devrait pas aimer. D'où son désarroi passionné (II, v. 548) :

Maintenant je me cherche et ne me trouve plus.

Horreur et honte sont les sentiments qu'il éprouve devant Phèdre et à la pensée du scandale qu'il a provoqué malgré lui (II, sc. 5 et 6).

Par respect filial, il se taira devant l'accusation de Thésée (IV, sc. 2).

Avec noblesse d'âme, il plaide sa cause :

Le jour n'est pas plus pur que le fond de mon cœur (v. 1112).

Pourtant, scandalisé par la calomnie, il ne peut maîtriser sa révolte et laisse entrevoir la vérité. Sous la malédiction, il laisse éclater sa douleur (v. 1143-4).

Alors dans sa naïveté, il ose se confier à l'équité des dieux (v. 1351).

Mais jusqu'au bout, il incarne l'amour passionné. Sa fuite désespérée, toute forcée qu'elle est, est aussi une manifestation de révolte : il est décidé à s'enfuir avec Aricie, prêt à prendre les armes pour les droits de celle qu'il aime (V, sc. 1).

Le Ve acte marque l'apothéose du héros. Sa mort dramatique illustre son courage, son sang-froid, sa grandeur d'âme.

• *La jeune fille : Aricie.*

Personnage créé par Racine, elle est « l'aimable sœur des cruels Pallantides » (v. 53).
Aimable, elle l'est par sa situation de charmante esclave, par la naïveté de ses questions à Ismène, par la fierté romanesque qu'elle éprouve à conquérir le « superbe » Hippolyte (II, sc. 1), par la grâce si réservée avec laquelle elle déclare accepter l'amour du prince (II, sc. 3).
Mais devant l'injustice, elle se rebelle. Elle aime les situations nettes : elle ne suivra Hippolyte que mariée, elle demande au jeune homme de dire la vérité à son père (V, sc. 1), et, en face du roi, ses insinuations ne manquent pas d'audace (V, sc. 3). Elle n'hésitera pas à accuser la cruauté des dieux (v. 1584). Aricie n'est pas si « timide »!

• *Le père et l'époux : Thésée.*

Au départ, double aspect de Thésée : le héros et l'amant. Vu :
- par son fils (I, sc. 1) qui l'adore pour ses exploits et le juge pour ses amours,
- par Phèdre (II, sc. 5) qui voudrait un Thésée qui fût un Hippolyte.

Mais la pièce de Racine illustrera deux autres aspects perpétuellement en conflit : le père et l'époux.
Absent pendant toute la première partie de la pièce, mais présent par le rôle qu'il y joue, le voici (pensons à l'apparition de Tartuffe) en pleine milieu de l'acte III, qui revient, qui ressuscite, a-t-on envie de dire : père heureux, époux impatient, il ne respire que « transports charmants ».
Mais Thésée apprend son infortune. Dès lors, c'est le personnage de la pièce qui va évoluer le plus et le plus vite. Un vers clef :

Je ne sais où je vais, je ne sais où je suis (v. 1004).

Derrière ses cris de rage (notons la fréquence du mot « perfide »), ses appels au dieux, regardons-le, avatar d'Œdipe, dans sa quête de la vérité :
- trop facilement influencé par Œnone (IV, sc. 1)
- troublé, malgré qu'il en ait, par son fils (IV, sc. 2)
- frappé par l'attitude d'Aricie (V, sc. 3 et 4)
- bouleversé par le suicide d'Œnone (V, sc. 5).

Notons aussi les deux monologues (IV, sc. 3 et V, sc. 4) où Thésée, d'un coup vieilli de dix ans, essaie de faire le point de sa tragique solitude.
Pitoyable victime des dieux et de son inconscience, le voici enfin, au Ve acte, pétrifié dans sa douleur, à l'heure de l'expiation (V, sc. 7).

• *Les confidents : Œnone-Théramène.*

ŒNONE

La nourrice et la confidente : ainsi la présente Racine.
Elle est passionnément dévouée à Phèdre (I, sc. 2 et 3) qu'elle a élevée,

pour qui elle a tout quitté. Dès sa naissance, elle l'a reçue dans ses bras (v. 234).
En face de Phèdre et jusqu'à l'acte IV, Œnone va employer tous les moyens (tendresse, chantage, appel à la dignité), exploiter toutes les situations (annonce de la mort de Thésée, retour de Thésée, attitude d'Hippolyte...), pour empêcher Phèdre de mourir. Car la vie de la Reine est pour celle qui l'a nourrie « d'un prix à qui tout cède » (v. 898).
Ainsi elle devient l'instigatrice du drame, au point d'utiliser, pour sauver Phèdre, la calomnie. Tout est bon pour qu'aux yeux du monde l'honneur de la Reine soit intact.
Il est à noter que son jeu est aussi inspiré par sa haine personnelle pour ce fils de l'étrangère qui lui a volé le cœur de sa maîtresse.
Et voilà que la « chère Œnone », Phèdre, dans une dernière révolte, l'accuse et la maudit. Symbole du mal, dont elle assume, du reste, la responsabilité, il ne lui reste plus qu'à disparaître dans les flots. Morte sans sépulture.

THÉRAMÈNE

Il est d'abord le gouverneur d'Hippolyte, mais aussi l'ami, « le cher » Théramène qui accompagne son maître dans ses exercices.
Mais ce vieil athlète est aussi une sorte de philosophe épicurien. Il ne comprend pas qu'on puisse vivre sans amour. Indulgent à l'égard de Thésée, sensible au charme de l'aimable Aricie, il sait l'usage de la galanterie et se révèle agréable conseiller en la matière (I, sc. 1).
On ne verra plus Théramène que deux fois dans la pièce et il n'exerce plus qu'un rôle dramatique :

- dans l'acte II, scène 6, il vient annoncer que Thésée est peut-être vivant,
- enfin dans l'acte V, scène 6, il est le récitant de l'oraison funèbre d'Hippolyte.

Mais dans ce récit de la mort du prince, on sent toute son admiration pour le héros et toute sa pitié pour la victime.

8 Publication

La première édition de la pièce paraît chez Barbin le 15 mars 1677 sous le titre de *Phèdre et Hippolyte*. Ce n'est que dix ans après, dans l'édition de 1687, que Racine donnera à sa tragédie le seul titre de *Phèdre*.

Bibliographie

• *Ouvrages généraux :*

ANTOINE ADAM, *Histoire de la littérature française au XVIIe siècle,* Del Duca, tome IV, 1954.

J. SCHERER, *La Dramaturgie classique en France,* Nizet, 1950.

J. GIRAUDOUX, *Littérature*, Grasset, 1942.

J. MOREL, *La Tragédie,* coll. « U », Colin, 1964.

• *Ouvrages sur Racine :*

F. MAURIAC, *La Vie de Jean Racine,* Plon, 1935.

PIERRE MOREAU, *Racine, l'homme et l'œuvre,* Hatier, coll. « Connaissance des lettres », 1943.

RAYMOND PICARD, *La Carrière de J. Racine*, nouv. éd. Gallimard, 1961.

JEAN POMMIER, *Aspects de Racine,* suivi de *L'histoire d'un couple tragique, Phèdre et Hippolyte*, Nizet, 1954.

E. VINAVER, *Racine et la poésie tragique,* Nizet, 1963.

R. JASINSKI, *Vers le vrai Racine*, 2 vol., Colin, 1958.

R. BARTHES, *Sur Racine*, Le Seuil, 1963.

• *Sur Phèdre :*

THIERRY MAULNIER, *Lecture de « Phèdre »,* Gallimard, 1942.

JEAN-LOUIS BARRAULT, *Phèdre,* collection « Mises en scènes », Le Seuil, 1946.

CHARLES DÉDÉYAN, *La Phèdre de Racine*, C. D. U., 1956.

CHARLES MAURON, *Phèdre,* Corti, 1968.

Discographie

RACINE, *Phèdre,* enregistrement intégral, trois disques 33 tours, Encyclopédie sonore Hachette.

Le Héros racinien, 1 disque 33 tours, Production sonore Hachette.

Préface de Racine[1]

Voici encore une tragédie dont le sujet est pris d'Euripide[2]. Quoique j'aie suivi une route un peu différente[3] de celle de cet auteur pour la conduite de l'action, je n'ai pas laissé d'enrichir ma pièce de tout ce qui m'a paru plus éclatant[4] dans la sienne. Quand je ne lui devrais que la seule idée du caractère de Phèdre, je pourrais dire que je lui dois ce que j'ai peut-être mis de plus raisonnable[5] sur le théâtre. Je ne suis point étonné que ce caractère ait eu un succès si heureux du temps d'Euripide, et qu'il ait encore si bien réussi dans notre siècle[6], puisqu'il a toutes les qualités qu'Aristote demande dans le héros de la tragédie, et qui sont propres à exciter la compassion et la terreur[7]. En effet, PHÈDRE n'est ni tout à fait coupable ni tout à fait innocente. Elle est engagée par sa destinée, et par la colère des Dieux, dans une passion

---

1 *Préface de Racine :* cette « Préface » ne fut publiée qu'en mars 1677. On remarque que Racine n'y prononce même pas le nom de Pradon. Le silence est une forme de mépris.

2 *Euripide :* les pièces grecques de Racine (*Andromaque*, *Iphigénie*) sont inspirées d'Euripide.

3 *une route un peu différente :* l'amour d'Hippolyte, la jalousie de Phèdre, l'angoisse de la damnation, l'horreur du remords : voilà, entre autres, quelques éléments de réflexion qui permettront de mesurer l'originalité de Racine et d'envisager l'éternel problème de la couleur antique et de la vision janséniste dans *Phèdre*.

4 *plus éclatant :* le plus éclatant. Emploi courant du comparatif pour le superlatif au XVIIe siècle.

5 *raisonnable :* conforme à la logique éternelle de la passion et à la vraisemblance psychologique.

6 *dans notre siècle :* le thème de *Phèdre* avait en effet inspiré de nombreux dramaturges. Signalons dès le XVIe siècle la pièce de Robert Garnier. Au XVIIe siècle, nous voyons Guérin de la Pinelière (1615-1643) écrire *Hippolyte*, Gabriel Gilbert *Hippolyte ou le garçon insensible* en 1646 et Bidar faire jouer son *Hippolyte* à Lille en 1675. Mais c'est l'œuvre de Pradon, *Phèdre et Hippolyte*, qui est la plus connue, grâce surtout à la cabale de *Phèdre* (voir notice p. 6). Notons, pour mémoire, que, chez Pradon, la jeune fille qu'aime Hippolyte, Aricie (le même nom que chez Racine !), est en même temps la confidente d'Hippolyte, et surtout que Phèdre n'est plus que la fiancée de Thésée, ce qui ne l'empêche pas de se comporter en « intrigante et en dévergondée » (J. Pommier).

7 *la compassion et la terreur :* cf. Aristote, *Poétique*, ch. XII.

illégitime, dont elle a horreur toute la première. Elle fait tous ses efforts pour la surmonter. Elle aime mieux se laisser mourir que de la déclarer à personne. Et lorsqu'elle est forcée de la découvrir, elle en parle avec une confusion[8] qui fait bien voir que son crime est plutôt une punition des Dieux qu'un mouvement de sa volonté.

J'ai même pris soin de la rendre un peu moins odieuse qu'elle n'est dans les tragédies des anciens[9], où elle se résout d'elle-même à accuser Hippolyte[10]. J'ai cru que la calomnie avait quelque chose de trop bas et de trop noir pour la mettre dans la bouche d'une princesse qui a, d'ailleurs, des sentiments si nobles, et si vertueux. Cette bassesse m'a paru plus convenable à une nourrice, qui pouvait avoir des intentions plus serviles[11], et qui néanmoins n'entreprend cette fausse accusation que pour sauver la vie et l'honneur de sa maîtresse. Phèdre n'y donne les mains que parce qu'elle est dans une agitation d'esprit[12] qui la met hors d'elle-même, et elle vient un moment après[13] dans le dessein de justifier l'innocence et de déclarer la vérité.

Hippolyte est accusé, dans Euripide et dans Sénèque, d'avoir en effet[14] violé sa belle-mère : *Vim corpus tulit*[15]. Mais il n'est accusé ici que d'en avoir eu le dessein[16]. J'ai voulu épargner à Thésée une confusion[17] qui l'[18]aurait pu rendre moins agréable[19] aux spectateurs.

---

8 *confusion :* bouleversement.

9 *anciens :* Euripide et Sénèque.

10 *accuser Hippolyte :* chez Euripide, Phèdre s'est vengée en accusant Hippolyte au moyen de tablettes destinées à Thésée. Chez Sénèque, c'est Phèdre elle-même qui dénonce Hippolyte à Thésée (III, sc. 2).

11 *serviles :* dignes d'une esclave.

12 *agitation d'esprit :* le trouble de Phèdre au retour de Thésée (III, fin de la scène 3 et sc. 4) ne l'empêche pas en tout cas de juger clairement la situation.

13 *un moment après :* en réalité il y a tout un acte d'intervalle (de la scène 4 de l'acte III à la scène 4 de l'acte IV).

14 *en effet :* en fait, en réalité.

15 *vim corpus tulit :* Sénèque, *Hippolyte*, v. 889. Racine obéit au respect des bienséances.

16 *le dessein :* cf. surtout acte IV, v. 1008-9 :
Pour parvenir au but de ses noires amours
L'insolent de la force empruntait le secours.

17 *une confusion :* une situation qui aurait été intolérable pour lui.

18 *l'aurait pu rendre :* le XVIIe siècle nous offre d'innombrables exemples d'une telle construction.

19 *moins agréable :* moins acceptable.

Pour ce qui est du personnage d'HIPPOLYTE, j'avais remarqué dans les anciens qu'on reprochait à Euripide de l'avoir représenté comme un philosophe exempt de toute imperfection[20] : ce qui faisait que la mort de ce jeune prince causait beaucoup plus d'indignation que de pitié. J'ai cru lui devoir donner quelque faiblesse qui le rendrait un peu coupable envers son père, sans pourtant lui rien ôter de cette grandeur d'âme avec laquelle il épargne l'honneur de Phèdre, et se laisse opprimer[21] sans l'accuser[22]. J'appelle faiblesse la passion qu'il ressent malgré lui pour Aricie, qui est la fille et la sœur des ennemis mortels de son père.

Cette ARICIE n'est point un personnage de mon invention. Virgile[23] dit qu'Hippolyte l'épousa, et en eut un fils, après qu'Esculape l'eut ressuscité. Et j'ai lu encore dans quelques auteurs[24] qu'Hippolyte avait épousé et emmené en Italie une jeune Athénienne de grande naissance, qui s'appelait Aricie, et qui avait donné son nom à une petite ville d'Italie.

Je rapporte ces autorités, parce que je me suis très scrupuleusement attaché à suivre la fable[25]. J'ai même suivi l'histoire de THÉSÉE, telle qu'elle est dans Plutarque[26].

C'est dans cet historien que j'ai trouvé que ce qui avait donné occasion de croire que Thésée fût descendu dans les enfers pour enlever Proserpine, était un voyage que ce prince avait fait en Épire vers la source de l'Achéron, chez un roi[27] dont Pirithoüs voulait enlever la femme, et qui arrêta Thésée prisonnier, après avoir fait mourir Pirithoüs. Ainsi

---

20 *imperfection :* en réalité l'Hippolyte grec commet le péché d'orgueil en méprisant Vénus et l'amour. Un serviteur le lui rappelle et Thésée reproche à son fils de s'être exercé au « culte de lui-même ». Chez les Grecs, ce péché de l'*ubris* était toujours puni.

21 *opprimer :* perdre.

22 *sans l'accuser :* acte IV, sc. 2. Toutefois, pour se défendre, il laisse sous-entendre la vérité.

23 *Virgile : Énéide*, livre VII, v. 761-2 (cf. la notice p. 13). Virgile ne parle pas de mariage.

24 *quelques auteurs :* Racine s'est inspiré des *Tableaux de Philostrate*, œuvre qui florissait au Ier et au IIe siècle après J.-C. et que Blaise de Vigenère avait traduite en 1615. Aricie est d'abord un lieu sacré d'Italie. « *On estime que ce lieu fut ainsi appelé d'une belle et jeune demoiselle de la contrée d'Attique nommée Aricie, de laquelle Hippolyte s'étant énamouré l'amena en Italie où il l'épousa.* »

25 *fable :* légende.

26 *Plutarque :* vie de *Thésée*, 31.

27 *un roi :* il s'appelait Aedonée, d'où une confusion possible avec Hadès, dieu des Enfers.

j'ai tâché de conserver la vraisemblance de l'histoire, sans rien perdre des ornements de la fable, qui fournit extrêmement à la poésie. Et le bruit de la mort de Thésée, fondé sur ce voyage fabuleux[28], donne lieu à Phèdre de faire une déclaration d'amour qui devient une des principales causes de son malheur, et qu'elle n'aurait jamais osé faire tant qu'elle aurait cru que son mari était vivant.

Au reste, je n'ose encore assurer que cette pièce soit en effet[29] la meilleure de mes tragédies. Je laisse et aux lecteurs et au temps à décider de son véritable prix. Ce que je puis assurer, c'est que je n'en ai point fait où LA VERTU soit plus mise en jour[30] que dans celle-ci. Les moindres fautes y sont sévèrement punies. La seule pensée du crime y est regardée avec autant d'horreur que le crime même. Les faiblesses de l'amour y passent pour de vraies faiblesses; les passions n'y sont présentées aux yeux que pour montrer tout le désordre dont elles sont causes; et le vice y est peint partout avec des couleurs qui en font connaître et haïr la difformité[31]. C'est là proprement le but que tout homme qui travaille pour le public doit se proposer; et c'est ce que les premiers poètes tragiques avaient en vue sur[32] toute chose. Leur théâtre était une école où la vertu n'était pas moins bien enseignée que dans les écoles des philosophes[33]. Aussi Aristote a bien voulu donner des règles du poème dramatique; et Socrate, le plus sage des philosophes, ne dédaignait pas

---

28 *fabuleux :* légendaire.

29 *en effet :* effectivement.

30 *mise en jour :* mise en lumière.

31 *difformité :* laideur.

32 *sur :* au-dessus de, avant.

33 *les écoles des philosophes :* Racine répond ici à la fameuse phrase de Nicole, qui appelait les poètes dramatiques « des empoisonneurs publics, non des corps, mais des âmes ». Nicole venait de réimprimer, au troisième volume de ses *Essais de Morale* (1675), son *Traité de la Comédie* (publié en 1659). En 1666, il avait encore attaqué les auteurs de théâtre dans *Les Visionnaires.* Ainsi les jansénistes, avec lesquels, après *Phèdre*, leur ancien élève va peu à peu se réconcilier, considéraient le théâtre, particulièrement quand il peignait l'amour, comme d'un exemple pernicieux. D'où la fin de cette *Préface* que M. J. Pommier suppose avoir été rajoutée par Racine. Notons aussi qu'en 1674-1675, deux jésuites, les Pères Rapin et de Villiers, avaient publié, l'un, *Réflexions sur la Poétique d'Aristote*, l'autre, *Entretiens sur les tragédies de ce temps* où ils protestaient contre la tragédie d'amour.

de mettre la main aux tragédies d'Euripide[34]. Il serait à souhaiter que nos ouvrages fussent aussi solides et aussi pleins d'utiles instructions que ceux de ces poètes. Ce serait peut-être un moyen de réconcilier la tragédie avec quantité de personnes[35], célèbres par leur piété et par leur doctrine[36], qui l'ont condamnée dans ces derniers temps[37], et qui en jugeraient sans doute plus favorablement, si les auteurs songeaient autant à instruire leurs spectateurs qu'à les divertir, et s'ils suivaient en cela la véritable intention[38] de la tragédie.

---

34 *Euripide :* Diogène Laërce (II, 5) rapporte en effet que Socrate aidait Euripide.

35 *quantité de personnes :* les jansénistes. Cf. aussi la Préface d'*Iphigénie* (1675).

36 *doctrine :* science.

37 *dans ces derniers temps :* cf. la Préface de *Tartuffe* (1669).

38 *intention :* but.

Escalier des appartements royaux de Cnossos.
... c'est moi dont l'utile secours / Vous eût du Labyrinthe enseigné les détours. (v. 655-6)

Du côté de la Crète

Statue provenant de l'île de Thasos.
Je ne me soutiens plus : ma force m'abandonne. (v. 154)

Le trône de Minos à Cnossos.
Minos juge aux enfers tous les pâles humains. (v. 1280)

Thésée tuant le Minotaure. Vase attique du Musée du Louvre.
Et la Crète fumant du sang du Minotaure. (v. 82)

Thésée ou Dionysos ? Statue provenant du Parthénon, d'abord identifiée comme Thésée, identification maintenant contestée.

Charmant, jeune, traînant tous les cœurs après soi, / Tel qu'on dépeint nos dieux, ou tel que je vous voi. (v. 639-640)

Athènes, vue des Propylées, évoque *Les superbes remparts que Minerve a bâtis.* (v. 360)

Aux environs de Trézène, *« le chemin de Mycènes ».*
Roi de ces bords heureux, Trézène est son partage (v. 358).

La chasse d'Hippolyte. Sarcophage d'Arles.
... savant dans l'art par Neptune inventé, / Rendre docile au frein un coursier indompté (v. 131-132).

L'Aurige de Delphes.
Sa main sur ses chevaux laissait flotter les rênes. (v. 1502)

L'aveu de Phèdre à Œnone.
... C'est toi qui l'as nommé. (v. 264)

◂ L'aveu à Hippolyte, gravure de Girodet.
Au défaut de ton bras, prête-moi ton épée. (v. 710)

Thésée chassant Hippolyte. Mais ce dessin du Primatice (1505-1570) ne peut correspondre exactement au texte :
Pour la dernière fois, ôte-toi de ma vue. (v. 1154)

▲ La mort d'Hippolyte, dessin d
Poussin (1594-1665)
*... L'intrépide Hippolyte / Vo
voler en éclats tout son char fr
cassé.* (v. 1542-43)

◂ La colère de Neptune, toile d
Rubens (1577-1640).
*Ne précipite point tes funeste
bienfaits, / Neptune ; j'aime mieu
n'être exaucé jamais.* (v. 1483-84)

1. La Champmeslé : *Ce n'est plus une ardeur dans mes veines cachée.* (v. 305)

2. Rachel, lithographie de l'édition de 1844 : *Hélas, du crime affreux dont la honte me suit...* (v. 1291)

3. Sarah Bernhardt, en 1874 : *Dieux ! que ne suis-je assise à l'ombre des forêts !* (v. 176)

4. Marie Bell : *Je ne me soutiens plus : ma force m'abandonne.* (v. 154)

5. Denise Peron et Silvia Montfort, Vieux-Colombier, 1960 : *Fais ce que tu voudras, je m'abandonne à toi.* (v. 911)

6. Maria Casarès et Michel Piccoli, T. N. P., 1958 : *Au défaut de ton bras, prête-moi ton épée.* (v. 710)

Les interprètes de Phèdre

1

2

3

4

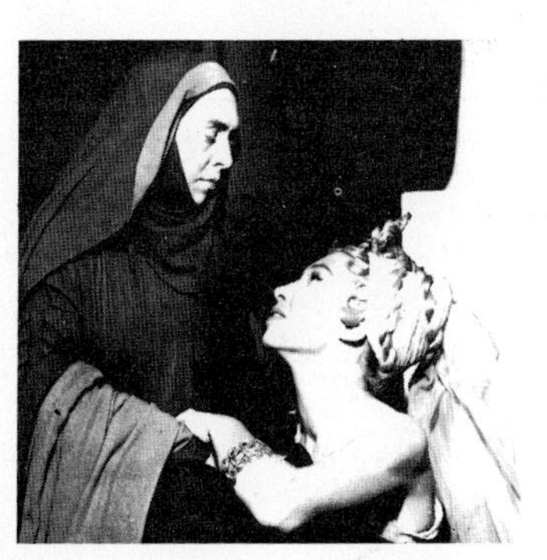

5

6

Liste des personnages

THÉSÉE
fils d'Égée, roi d'Athènes.

PHÈDRE
femme de Thésée, fille de Minos et de Pasiphaé.

HIPPOLYTE
fils de Thésée et d'Antiope, reine des Amazones.

ARICIE
princesse du sang royal d'Athènes.

ŒNONE
nourrice et confidente de Phèdre.

THÉRAMÈNE
gouverneur d'Hippolyte.

ISMÈNE
confidente d'Aricie.

PANOPE
femme de la suite de Phèdre.

GARDES.

La scène est à Trézène, ville du Péloponnèse.

Phèdre : ce rôle, le jour de la première représentation, était tenu par la grande actrice Mlle Champmeslé qui avait 35 ans cette année-là. Rachel au XIXe siècle et plus tard Sarah Bernhardt se sont illustrées dans ce rôle. Signalons de nos jours les noms de Marie Bell et de Maria Casarès.
Hippolyte : rôle tenu par Baron. Talma (1763-1826) s'y illustra à son tour.
Aricie : pour ce personnage, voir la *Préface*, p. 26.
Œnone : c'est sans doute dans la Ve des *Héroïdes* (lettres imaginaires de personnages célèbres) d'Ovide que Racine a trouvé ce nom. C'était une nymphe de Phrygie aimée et délaissée par Pâris.
Théramène : Jean Vilar, récemment, a redonné son lustre à ce personnage.
Trézène : les contemporains de Racine, à la suite de Sénèque, avaient fixé la scène à Athènes. Racine, lui, est revenu à la tradition d'Euripide.

Phèdre

Tragédie
1677

ACTE I

SCÈNE PREMIÈRE : HIPPOLYTE, THÉRAMÈNE

HIPPOLYTE

Le dessein• en est pris : je pars, cher Théramène,
Et quitte le séjour• de l'aimable Trézène•.
Dans le doute mortel dont• je suis agité,
Je commence à rougir• de mon oisiveté.
5 Depuis plus de six mois éloigné de mon père,
J'ignore le destin d'une tête• si chère;
J'ignore jusqu'aux lieux qui le peuvent cacher•.

THÉRAMÈNE

Et dans quels lieux, Seigneur, l'allez-vous donc chercher?
Déjà, pour satisfaire à votre juste crainte,
10 J'ai couru• les deux mers• que sépare Corinthe;
J'ai demandé Thésée aux peuples de ces bords

---

1 *dessein :* résolution.
2 *séjour :* notons l'emploi de l'abstrait comme complément d'objet direct du verbe « quitter ».
l'aimable Trézène : port d'Argolide où Thésée était venu se purifier du massacre des Pallantides.
L'épithète « aimable » est souvent employée par Homère pour caractériser une ville ou un pays.
3 *dont :* par lequel.
4 *rougir :* mot fréquent dans *Phèdre* pour marquer la honte que l'on éprouve.
6 *tête :* hellénisme pour désigner une « personne ».
7 *le peuvent cacher :* la langue classique place en tête du groupe verbal le pronom complément quand le verbe est suivi d'un infinitif; cf. au v. suivant : *l'allez-vous chercher.*
10 *couru :* parcouru.
les deux mers : la mer Ionienne et la mer Égée (ainsi appelée parce que le père de Thésée s'y jeta).

Où l'on voit l'Achéron• se perdre chez les morts;
J'ai visité l'Élide•, et laissant le Ténare•,
Passé jusqu'à la mer qui vit tomber Icare•.
15 Sur quel espoir nouveau, dans quels heureux climats
Croyez-vous découvrir la trace de ses pas?
Qui sait même, qui sait si le Roi votre père
Veut que de son absence on sache le mystère?
Et si, lorsqu'avec vous nous tremblons pour ses jours,
20 Tranquille, et nous cachant de nouvelles amours,
Ce héros n'attend point qu'une amante abusée•...

HIPPOLYTE

Cher Théramène, arrête, et respecte Thésée.
De ses jeunes erreurs• désormais revenu,
Par un indigne obstacle il n'est point retenu;
25 Et fixant de ses vœux• l'inconstance fatale•,
Phèdre depuis longtemps ne craint plus de rivale.
Enfin en le cherchant je suivrai mon devoir,
Et je fuirai ces lieux que je n'ose plus voir.

THÉRAMÈNE

Hé! depuis quand, Seigneur, craignez-vous la présence
30 De ces paisibles lieux•, si chers à votre enfance,
Et dont je vous ai vu préférer le séjour
Au tumulte pompeux d'Athène• et de la cour?
Quel péril, ou plutôt quel chagrin• vous en chasse?

---

12 *Achéron :* fleuve des Enfers qui se perd en Épire dans le lac Achérusia.

13 *Élide :* pays situé dans la partie occidentale du Péloponnèse.
Ténare : pointe la plus méridionale du Péloponnèse.

14 *Icare :* pour fuir le labyrinthe, Dédale avait fixé sur les épaules de son fils des plumes d'oiseau jointes avec de la cire. Comme le jeune homme s'était trop approché du soleil, la cire fondit et il tomba dans la mer Égée.

21 *abusée :* trompée une nouvelle fois par les promesses de Thésée.

23 *jeunes erreurs :* les erreurs de jeunesse.

25 *vœux :* passions.
fatale : qui fait mourir celles qui en sont l'objet.

30 *lieux :* l'emploi du mot comme complément de « présence », en accentue le caractère sentimental.

32 *Athène :* licence poétique justifiée par la métrique.

33 *chagrin :* au sens fort de « tourment ».

HIPPOLYTE

Cet heureux temps n'est plus. Tout a changé de face,
35 Depuis que sur ces bords les Dieux ont envoyé
La fille de Minos et de Pasiphaé•.

THÉRAMÈNE

J'entends• : de vos douleurs la cause m'est connue.
Phèdre ici vous chagrine•, et blesse votre vue.
Dangereuse marâtre•, à peine elle vous vit,
40 Que votre exil d'abord signala son crédit•.
Mais sa haine sur vous autrefois attachée,
Ou s'est évanouie, ou s'est bien relâchée.
Et d'ailleurs quels périls vous peut faire courir•
Une femme mourante et qui cherche à mourir?
45 Phèdre, atteinte d'un mal qu'elle s'obstine à taire,
Lasse enfin d'elle-même et du jour qui l'éclaire,
Peut-elle contre vous former quelques desseins?

HIPPOLYTE

Sa vaine• inimitié n'est pas ce que je crains.
Hippolyte en partant fuit une autre ennemie• :
50 Je fuis, je l'avouerai, cette jeune Aricie,
Reste d'un sang fatal• conjuré• contre nous.

---

36 *Minos et Pasiphaé :* les parents de Phèdre. Le vers 36 est incontestablement l'un des plus beaux de la langue française. Les amateurs de la poésie pure (beauté gratuite des sonorités) au XXe siècle voulurent y voir un modèle du genre. Mais il est évident qu'à la plénitude du son ce vers joint la plénitude du sens (voir la notice p. 15).

37 *j'entends :* je comprends.

38 *chagrine :* tourmente (voir le vers 33).

39 *marâtre :* signifie, sans nuance péjorative, « belle-mère ».

40 *crédit :* le pouvoir de son amour sur Thésée.

43 *vous peut faire courir :* même construction qu'au v. 7.

48 *vaine :* inutile car Hippolyte y est insensible.

49 *ennemie :* mot du vocabulaire amoureux pour désigner l'objet aimé. Mais Racine joue sur le double sens du terme (voir les vers 51 et 56).

51 *sang fatal :* race funeste.
conjuré : allusion au complot des Pallantides contre Thésée.

THÉRAMÈNE

Quoi? vous-même, Seigneur, la persécutez-vous?
Jamais l'aimable sœur des cruels Pallantides•
Trempa-t-elle aux complots de ses frères perfides?
55 Et devez-vous haïr ses innocents appas•?

HIPPOLYTE

Si je la haïssais, je ne la fuirais pas.

THÉRAMÈNE

Seigneur, m'est-il permis d'expliquer votre fuite?
Pourriez-vous n'être plus ce superbe• Hippolyte?
Implacable ennemi des amoureuses lois•
60 Et d'un joug que Thésée a subi tant de fois?
Vénus, par votre orgueil si longtemps méprisée,
Voudrait-elle à la fin justifier Thésée?
Et vous mettant au rang du reste des mortels,
Vous a-t-elle forcé d'encenser ses autels•?
65 Aimeriez-vous, Seigneur?

HIPPOLYTE

Ami, qu'oses-tu dire?
Toi, qui connais mon cœur depuis que je respire,
Des sentiments d'un cœur si fier•, si dédaigneux,
Peux-tu me demander le désaveu honteux?
C'est peu qu'avec son lait une mère amazone•
70 M'ait fait sucer encor cet orgueil qui t'étonne;
Dans• un âge plus mûr moi-même parvenu,
Je me suis applaudi quand je me suis connu.

---

53 *Pallantides :* les cinquante fils de Pallas (qui ne seront plus que six chez Racine) ou de Pallante (vers 330), frère d'Égée, avaient disputé à leur cousin Thésée la royauté d'Athènes. Ils lui avaient tendu une embuscade, mais avaient été battus et mis à mort.

55 *innocents appas :* Aricie est belle et n'a rien à se reprocher. Alliance du physique et du moral.

58 *superbe :* orgueilleux.

59 *amoureuses lois :* lois de l'amour.

64 *encenser ses autels :* expression précieuse mais qui évoque en même temps l'atmosphère antique.

67 *fier :* rebelle à l'amour.

69 *amazone :* Antiope.

71 *dans :* employé pour « à » au XVIIe siècle.

Attaché près de moi par un zèle sincère,
Tu me contais alors l'histoire de mon père,
75 Tu sais combien mon âme, attentive à ta voix,
S'échauffait au récit de ses nobles exploits,
Quand tu me dépeignais ce héros intrépide
Consolant les mortels de l'absence d'Alcide•,
Les monstres• étouffés• et les brigands punis•,
80 Procruste•, Cercyon•, et Scirron•, et Sinnis•,
Et les os dispersés du géant d'Épidaure•,
Et la Crète fumant du sang du Minotaure• :
Mais quand tu récitais• des faits moins glorieux,
Sa foi• partout offerte et reçue• en cent lieux;
85 Hélène• à ses parents dans Sparte dérobée;
Salamine témoin des pleurs de Péribée•;

---

78 *Alcide :* Héraklès (Hercule), petit-fils d'Alcée. La geste de Thésée se modèle sur celle d'Hercule (voir Notice p. 13).

79 *monstres :* Phèdre sera le dernier.
étouffés : latinisme où le participe remplace le nom abstrait correspondant (même construction pour « punis »).

80 *Procruste :* brigand de l'Attique qui étendait les passants sur un lit de fer et leur coupait les jambes ou les leur tirait avec des cordes, selon qu'elles étaient plus longues ou plus courtes que ce lit; Thésée, à son arrivée en Attique, lui fit subir le même supplice.
Cercyon : dangereux lutteur arcadien.
Scirron : à Mégare, il précipitait les passants dans la mer. Thésée le broya contre des quartiers de roche.
Sinnis : à Corinthe, il écartelait ses victimes. Thésée l'écartela à son tour.

81 *géant d'Épidaure :* dans cette ville de l'Argolide, Thésée tua Périphétès, fils d'Héphaïstos, dit Porte-massue.

82 *Minotaure :* la victoire de Thésée sur le Minotaure est un élément capital de la légende de *Phèdre* (voir Notice, p. 13).

83 *récitais :* faisais le récit de

84 *foi :* promesse d'amour fidèle.
offerte et reçue : participes passés équivalant, comme en latin, aux noms abstraits correspondants (voir aussi « dérobée » au v. 85 et « enlevée » au v. 90).

85 *Hélène :* avant qu'Hélène, fille de Zeus et de Léda, femme de Ménélas, ne fût enlevée par Pâris, causant ainsi la guerre de Troie, elle l'avait été par Thésée.

86 *Péribée :* abandonnée par Thésée, elle épousera Télamon, roi de Salamine, et sera mère d'Ajax.

Tant d'autres, dont les noms lui sont même échappés,
Trop crédules esprits que sa flamme a trompés :
Ariane aux rochers• contant ses injustices•,
90 Phèdre enlevée enfin sous de meilleurs auspices•,
Tu sais comme à regret écoutant ce discours,
Je te pressais souvent d'en abréger le cours,
Heureux si j'avais pu ravir à la mémoire•
Cette indigne moitié d'une si belle histoire.
95 Et moi-même, à mon tour, je me verrais lié•?
Et les Dieux jusque-là• m'auraient humilié?
Dans mes lâches soupirs• d'autant plus méprisable•,
Qu'un long amas d'honneurs rend Thésée excusable,
Qu'aucuns• monstres par moi domptés jusqu'aujourd'hui
100 Ne m'ont acquis le droit de faillir comme lui.
Quand même ma fierté pourrait s'être adoucie,
Aurais-je pour vainqueur dû choisir Aricie?
Ne souviendrait-il• plus à mes sens égarés
De l'obstacle éternel qui nous a séparés?
105 Mon père la réprouve•; et par des lois sévères
Il défend de donner des neveux à ses frères :
D'une tige coupable il craint un rejeton;
Il veut avec leur sœur ensevelir leur nom,

---

89 *rochers :* ceux de Naxos, où elle fut abandonnée par Thésée.
ses injustices : les injustices dont elle fut l'objet. Ce vers évoque un épisode du poème de Catulle, *Les Noces de Thétis et de Pélée* (Poème LXIV, v. 132 sq).
90 *sous de meilleurs auspices :* Phèdre en effet devint la femme légitime de Thésée.
93 *à la mémoire :* au souvenir de la postérité.
95 *lié :* enchaîné par les liens de l'amour. Mais ce mot caractérise-t-il bien l'attitude de Thésée?
96 *jusque-là :* jusqu'à en venir à un tel point.
97 *lâches soupirs :* attitude de soupirant contraire à sa nature et à son devoir.
méprisable : apposé à « me » du v. 96.
99 *aucuns :* au XVIIe siècle s'employait fréquemment au pluriel.
103 *ne souviendrait-il plus :* on attendrait « ne me souviendrait-il plus ». La hardiesse de la construction accentue la dépossession de soi au profit de la passion.
105 *réprouve :* repousse.

Et que• jusqu'au tombeau soumise• à sa tutelle,
110 Jamais les feux d'hymen• ne s'allument pour elle.
Dois-je épouser ses droits contre un père irrité?
Donnerai-je l'exemple à la témérité?
Et dans un fol amour ma jeunesse embarquée•....

THÉRAMÈNE

Ah! Seigneur, si votre heure est une fois marquée,
115 Le ciel de nos raisons ne sait point s'informer•.
Thésée ouvre vos yeux en voulant les fermer•;
Et sa haine, irritant une flamme rebelle•,
Prête à son ennemie une grâce nouvelle.
Enfin d'un chaste amour pourquoi vous effrayer?
120 S'il a quelque douceur, n'osez-vous l'essayer•?
En croirez-vous toujours un farouche scrupule?
Craint-on de s'égarer sur les traces d'Hercule•?
Quels courages• Vénus n'a-t-elle pas domptés?
Vous-même, où seriez-vous, vous qui la combattez,
125 Si toujours Antiope• à ses lois opposée,
D'une pudique ardeur n'eût brûlé pour Thésée?
Mais que sert d'affecter un superbe discours•?
Avouez-le, tout change; et depuis quelques jours

---

109 *que :* « il veut » est d'abord suivi d'un infinitif puis d'une proposition complétive avec « que ».
soumise : apposé à « elle » dans une construction très libre.

110 *hymen :* employé sans article pour diviniser le mariage. Au XVIIe siècle, on prononçait « hymin ».

113 *embarquée :* mot du vocabulaire de la galanterie au XVIIe siècle.

115 *s'informer :* l'esprit humain ne peut rien contre le sort. La tournure ici est assez elliptique.

116 *fermer :* en voulant vous empêcher d'aimer Aricie, il vous ouvre à la vérité de l'amour.

117 *irritant une flamme rebelle :* excitant un amour que Thésée condamne.

120 *l'essayer :* mettre cet amour à l'épreuve.

122 *Hercule :* comme Thésée, il avait séduit beaucoup de femmes.

123 *courages :* cœurs.

125 *Antiope :* la mère d'Hippolyte.

127 *affecter un superbe discours :* simuler un langage orgueilleux.

On vous voit, moins souvent, orgueilleux et sauvage,
130 Tantôt faire voler un char sur le rivage,
Tantôt, savant dans l'art par Neptune inventé*,
Rendre docile au frein un coursier* indompté.
Les forêts de nos cris moins souvent retentissent;
Chargés d'un feu secret, vos yeux s'appesantissent.

---

131 *l'art par Neptune inventé :* l'équitation. Neptune avait donné à Athènes le cheval.
132 *coursier :* mot du langage noble, symbole de la guerre.

QUESTIONS en vue de l'explication de la scène 1 :

I. Le décor :

1 *ce qu'il est;*

2 *ce qu'il évoque;*

3 *ce qu'il représente pour les personnages.*

II. L'intérêt dramatique :

1 *le caractère mystérieux de la situation;*

2 *les intentions des héros.*

III. Composition de la scène :

1 *du point de vue d'Hippolyte;*

2 *du point de vue de Théramène.*

IV. Le personnage de Théramène :

1 *son rôle;* 2 *son caractère.*

V. Explication de texte : le récit d'Hippolyte (v. 65-113).

1 *La technique du récit :*
a) *sa préparation;*
b) *sa composition.*

2 *Hippolyte face à son père :*
a) *le héros;*
b) *l'amoureux;*
c) *les obstacles à son amour.*

3 *Un tableau épique :*
a) *la rhétorique;*
b) *la naïveté épique;*
c) *la résonance épique.*

135 Il n'en faut point douter : vous aimez, vous brûlez;
Vous périssez d'un mal que vous dissimulez.
La charmante* Aricie a-t-elle su vous plaire?

HIPPOLYTE

Théramène, je pars, et vais chercher mon père.

THÉRAMÈNE

Ne verrez-vous point Phèdre avant que de* partir,
140 Seigneur?

HIPPOLYTE

C'est mon dessein : tu peux l'en avertir.
Voyons-la, puisqu'ainsi mon devoir me l'ordonne.
Mais quel nouveau malheur trouble sa chère Œnone?

SCÈNE II : HIPPOLYTE, ŒNONE, THÉRAMÈNE

ŒNONE

Hélas! Seigneur, quel trouble au mien peut être égal?
La Reine touche presque à son terme fatal*.
145 En vain à l'observer jour et nuit je m'attache :
Elle meurt dans mes bras d'un mal qu'elle me cache.
Un désordre éternel règne dans son esprit.
Son chagrin inquiet* l'arrache de son lit.
Elle veut voir le jour; et sa douleur profonde
150 M'ordonne toutefois d'écarter tout le monde....
Elle vient.

HIPPOLYTE

Il suffit : je la laisse en ces lieux,
Et ne lui montre point un visage odieux.

---

137 *charmante :* dont les charmes exercent un pouvoir magique.
139 *avant que de :* tour généralement employé au XVIIe siècle.
144 *fatal :* terme marqué par le destin : la mort.
148 *chagrin inquiet :* tourment qui ne la laisse pas reposer.

QUESTION en vue de l'explication de la scène 2 :

Quel est l'intérêt de cette scène de transition?

SCÈNE III : PHÈDRE, ŒNONE

PHÈDRE

N'allons point plus avant. Demeurons•, chère Œnone.
Je ne me soutiens plus : ma force m'abandonne.
155 Mes yeux sont éblouis du• jour que je revoi•,
Et mes genoux tremblants se dérobent sous moi.
Hélas!

(*Elle s'assit*•.)

ŒNONE

Dieux tout-puissants, que nos pleurs vous apaisent.

PHÈDRE

Que ces vains• ornements, que ces voiles me pèsent!
Quelle importune main, en formant tous ces nœuds,
160 A pris soin sur mon front d'assembler mes cheveux?
Tout m'afflige• et me nuit, et conspire• à me nuire.

ŒNONE

Comme on voit tous ses vœux l'un l'autre se détruire!
Vous-même, condamnant vos injustes desseins•,
Tantôt• à vous parer vous excitiez nos mains;
165 Vous-même, rappelant votre force première,
Vous vouliez vous montrer et revoir la lumière.
Vous la voyez, Madame; et prête à vous cacher,
Vous haïssez le jour que vous veniez chercher?

---

153 *demeurons :* au XVIIe siècle, le bon usage identifie « demeurer » et « s'arrêter ».

155 *du :* parmi ses nombreux emplois, « de » peut signifier « par ».
revoi : forme étymologique autorisée par l'usage de rimer pour les yeux.

157 *s'assit :* le XVIIe siècle connaissait aussi la forme moderne « s'assied ». Ici, présent de l'indicatif.

158 *vains :* inutiles. Caractérise exceptionnellement un terme concret.

161 *afflige :* accable.
conspire : concourt.

163 *condamnant vos injustes desseins :* revenant sur votre décision de ne plus sortir.

164 *tantôt :* tout à l'heure. Nous sommes le matin.

PHÈDRE

Noble et brillant auteur d'une triste• famille,
170 Toi, dont ma mère osait se vanter d'être fille,
Qui peut-être rougis du trouble où tu me vois,
Soleil•, je te viens voir pour la dernière fois.

ŒNONE

Quoi? vous ne perdrez point cette cruelle envie?
Vous verrai-je toujours, renonçant à la vie,
175 Faire de votre mort les funestes• apprêts?

PHÈDRE

Dieux! que ne suis-je assise à l'ombre des forêts!
Quand pourrai-je, au travers d'une noble• poussière,
Suivre de l'œil un char fuyant dans la carrière•?

ŒNONE

Quoi, Madame?

PHÈDRE

Insensée, où suis-je? et qu'ai-je dit?
180 Où laissé-je égarer• mes vœux et mon esprit?
Je l'•ai perdu : les Dieux m'en• ont ravi l'usage.
Œnone, la rougeur me couvre le visage :
Je te laisse trop voir mes honteuses douleurs;
Et mes yeux, malgré moi, se remplissent de pleurs.

ŒNONE

185 Ah! s'il vous faut rougir, rougissez d'un silence
Qui de vos maux encore aigrit• la violence.
Rebelle à tous nos soins, sourde à tous nos discours,

---

169 *triste :* malheureuse.

172 *Soleil :* par sa mère Pasiphaé, Phèdre était la petite-fille d'Apollon Solaire.

175 *funestes :* étymologiquement, « qui entraînent la mort ». Mot de la même famille que « funérailles ».

177 *noble*, car la poussière est soulevée par la course aristocratique des chars, sport d'Hippolyte (v. 130).

178 *carrière :* hippodrome.

180 *égarer :* l'omission du pronom réfléchi est possible au XVIIe siècle.

181 *je l'ai perdu :* le pronom personnel est mis pour « esprit », comme « en » dans le même vers.

186 *aigrit :* irrite.

Voulez-vous sans pitié laisser finir vos jours ?
Quelle fureur* les borne au milieu de leur course* ?
190 Quel charme* ou quel poison en a tari la source ?
Les ombres par trois fois ont obscurci les cieux
Depuis que le sommeil n'est* entré dans vos yeux,
Et le jour a trois fois chassé la nuit obscure
Depuis que votre corps languit sans nourriture.
195 A* quel affreux dessein vous laissez-vous tenter ?
De quel droit sur vous-même osez-vous attenter ?
Vous offensez les Dieux auteurs de votre vie ;
Vous trahissez l'époux à qui la foi* vous lie ;
Vous trahissez enfin vos enfants malheureux*,
200 Que vous précipitez sous un joug rigoureux.
Songez qu'un même jour leur ravira leur mère,
Et rendra l'espérance au fils de l'étrangère*,
A ce fier ennemi de vous, de votre sang*,
Ce fils qu'une Amazone a porté dans son flanc,
205 Cet Hippolyte....

PHÈDRE

Ah, Dieux !

ŒNONE

Ce reproche vous touche.

PHÈDRE

Malheureuse, quel nom est sorti de ta bouche ?

---

189 *fureur :* folie furieuse.
au milieu de leur course : périphrase noble mais qui indique, peut-être, l'âge de Phèdre.

190 *charme :* étymologiquement, « pouvoir magique ».

192 *n'est :* ellipse de « pas ». « Ne » au XVIIe siècle suffit à marquer la négation.

195 *à :* par. Cette préposition avait un emploi beaucoup plus étendu qu'aujourd'hui.

198 *foi :* foi jurée, fidélité.

199 *vos enfants malheureux :* Acamas et Démophon, qui participeront à l'expédition de Troie (XIe siècle avant J.-C.) Phèdre parle tantôt des deux, tantôt d'un seul, l'héritier du trône.

202 *l'étrangère :* Antiope, cette Amazone qu'Hippolyte a évoquée au vers 69.

203 *sang :* « famille », car Hippolyte est l'étranger (Euripide le traite de bâtard) dangereux du point de vue politique, mais aussi « race », car Hippolyte est un barbare, un Scythe.

ŒNONE

Hé bien! votre colère éclate avec raison :
J'aime à vous voir frémir à ce funeste* nom.
Vivez donc. Que l'amour, le devoir vous excite*.
210 Vivez, ne souffrez pas que le fils d'une Scythe*,
Accablant vos enfants d'un empire* odieux,
Commande au plus beau sang* de la Grèce et des Dieux.
Mais ne différez point : chaque moment vous tue.
Réparez promptement votre force abattue,
215 Tandis que de vos jours, prêts à* se consumer*,
Le flambeau* dure encore, et peut se rallumer.

PHÈDRE

J'en ai trop prolongé la coupable durée*.

ŒNONE

Quoi? de quelques remords êtes-vous déchirée?
Quel crime a pu produire un trouble si pressant*?
220 Vos mains n'ont point trempé dans le sang* innocent?

---

208 *funeste* : caractérise ici le nom d'Hippolyte, suggérant l'idée d'une haine mortelle.

209 *excite* : engage à vivre. Le devoir et l'amour seront les arguments d'Œnone à la scène 5. Mais il s'agira alors de l'amour pour Hippolyte et non de l'amour maternel comme ici.

210 *Scythe* : les Amazones étaient originaires de la Scythie, pays des bords de la Mer Noire.

211 *empire* : domination.

212 *sang* : outre l'origine divine de la race, les enfants de Phèdre et de Thésée sont, à l'opposé du barbare Hippolyte, des Grecs de pure souche.

215 *prêts à* : le XVIIe siècle utilise tantôt « prêt à », tantôt « prêt de ».
se consumer : s'éteindre peu à peu.

216 *flambeau* : sous la périphrase précieuse (le flambeau des jours), on voit que Phèdre n'a plus qu'un souffle de vie mais qu'elle peut encore être ranimée (voir la même image au vers 316 et 366).

217 *coupable durée* : c'est Phèdre coupable qui souille la vie qu'elle accepte de continuer à vivre. On appelle une telle alliance de mots un « hypallage ».

219 *pressant* : qui oppresse.

220 *sang* : ici au sens propre (voir le vers 1556). Une telle évocation contribue à ressusciter l'atmosphère primitive du sujet.

PHÈDRE

Grâces au ciel, mes mains ne sont point criminelles.
Plût aux Dieux que mon cœur fût innocent comme elles!

ŒNONE

Et quel affreux projet avez-vous enfanté
Dont votre cœur encor doive être épouvanté?

PHÈDRE

225 Je t'en ai dit assez. Épargne-moi le reste.
Je meurs, pour ne point faire un aveu si funeste•.

ŒNONE

Mourez donc, et gardez un silence inhumain;
Mais pour fermer vos yeux cherchez une autre main.
Quoiqu'il vous reste à peine une faible lumière•,
230 Mon âme chez les morts descendra la première.
Mille chemins ouverts y conduisent toujours,
Et ma juste douleur choisira les plus courts•.
Cruelle, quand ma foi• vous a-t-elle déçue?
Songez-vous qu'en naissant• mes bras vous ont reçue?
235 Mon pays, mes enfants, pour vous j'ai tout quitté.
Réserviez-vous ce prix à ma fidélité?

PHÈDRE

Quel fruit espères-tu de tant de violence?
Tu frémiras d'horreur• si je romps le silence.

ŒNONE

Et que me direz-vous qui ne cède, grands Dieux!
240 A l'horreur de vous voir expirer à mes yeux?

---

226 *funeste :* qui entraînerait ma mort.

229 *lumière :* vie.

232 *les plus courts :* Racine annonce ainsi le suicide d'Œnone à la fin de l'acte IV.

233 *foi :* fidélité passionnée.

234 *en naissant :* « En naissant » se rapporte à « vous ». Au XVIIe siècle, le sujet du participe précédé de « en » pouvait ne pas être le même que celui du verbe personnel.

238 *horreur :* sentiment violent qui fait « se hérisser » les cheveux sur la tête (sens classique, cf. encore au v. 240, etc.).

PHÈDRE

Quand tu sauras mon crime, et le sort qui m'accable,
Je n'en mourrai pas moins, j'en mourrai plus coupable.

ŒNONE

Madame, au nom des pleurs que pour vous j'ai versés,
Par vos faibles genoux que je tiens embrassés•,
245 Délivrez mon esprit de ce funeste• doute.

PHÈDRE

Tu le veux. Lève-toi.

ŒNONE

Parlez, je vous écoute.

PHÈDRE

Ciel! que lui• vais-je dire, et par où commencer?

ŒNONE

Par de vaines• frayeurs cessez de m'offenser.

PHÈDRE

O haine de Vénus! O fatale colère•!
250 Dans quels égarements l'amour jeta ma mère•!

---

244 *embrassés :* vers qui évoque l'attitude de la suppliante dans l'Antiquité.

245 *funeste :* cet adjectif dont nous notons la fréquence caractérise même le « doute ».

247 *lui :* au XVIIe siècle, le pronom complément précède l'expression formée par un verbe au mode personnel et un infinitif sans préposition.

248 *vaines :* ces frayeurs qui m'« offensent » (me font mal) n'ont aucune raison d'exister, car vous avez confiance en moi.

249 *colère :* comme le Soleil qui voit tout avait divulgué les amours de Vénus et de Mars, la déesse poursuit les descendants d'Apollon d'une « fatale colère », c'est-à-dire d'une haine mortelle contre laquelle les pauvres humains ne peuvent rien.

250 *ma mère :* conséquence de cette colère : Pasiphaé, la mère de Phèdre, s'unit à un taureau. De l'union monstrueuse naquit le Minotaure, qui est par conséquent le demi-frère de Phèdre.

ŒNONE

Oublions-les, Madame; et qu'à tout l'avenir•
Un silence éternel cache ce souvenir.

PHÈDRE

Ariane•, ma sœur, de quel amour blessée,
Vous mourûtes aux bords où vous fûtes laissée!

ŒNONE

255 Que faites-vous, Madame? et quel mortel ennui•
Contre tout votre sang• vous anime aujourd'hui?

PHÈDRE

Puisque Vénus le veut, de ce sang• déplorable
Je péris la dernière et la plus misérable.

ŒNONE

Aimez-vous?

PHÈDRE

De l'amour j'ai toutes les fureurs.

ŒNONE

260 Pour qui?

PHÈDRE

Tu vas ouïr le comble des horreurs.
J'aime.... A ce nom fatal•, je tremble, je frissonne.
J'aime....

ŒNONE

Qui?

---

251 *à tout l'avenir :* pour les races futures.

253 *Ariane :* c'est Ariane, sœur de Phèdre, qui, séduite par Thésée, donna à ce dernier le fameux fil qui lui permit de sortir du labyrinthe, après avoir vaincu le Minotaure. Puis l'infidèle Thésée l'abandonne dans l'île de Naxos (voir v. 89).

255 *ennui :* au sens fort de « tourment insupportable ».

256 *sang :* mot décidément cher à Œnone, évoquant ici la mère et la sœur de Phèdre.

261 *fatal :* marqué par le « fatum », le destin.

PHÈDRE

Tu connais ce fils de l'Amazone,
Ce prince si longtemps par moi-même opprimé?

ŒNONE

Hippolyte? Grands Dieux!

PHÈDRE

C'est toi qui l'as nommé.

ŒNONE

265 Juste ciel! tout mon sang dans mes veines se glace.
O désespoir! ô crime! ô déplorable race!
Voyage infortuné! Rivage malheureux*,
Fallait-il approcher de tes bords dangereux*?

PHÈDRE

Mon mal vient de plus loin. A peine au fils d'Égée*
270 Sous les lois de l'hymen*, je m'étais engagée,
Mon repos, mon bonheur semblait* être affermi;
Athènes me montra mon superbe ennemi*.
Je le vis, je rougis*, je pâlis à sa vue;
Un trouble s'éleva dans mon âme éperdue*;
275 Mes yeux ne voyaient plus, je ne pouvais parler;
Je sentis tout mon corps et transir* et brûler*;
Je reconnus Vénus et ses feux redoutables,

---

267 *malheureux* : entraînant le malheur.
268 *dangereux* : à cause de la présence d'Hippolyte (voir v. 302 : *Par mon époux lui-même à Trézène amenée.*)
269 *fils d'Égée* : Phèdre, qui n'a pas prononcé le nom d'Hippolyte (v. 262), ne prononce pas non plus celui de Thésée.
270 *hymen* : au XVIIe siècle on prononçait « hymin ».
271 *semblait* : accord latin du verbe avec le sujet le plus rapproché (accord de voisinage).
272 *superbe ennemi* : expression du vocabulaire amoureux. « Superbe » signifie « orgueilleux ».
273 *rougis* : marque aussi la manifestation physique de la honte.
274 *éperdue* : égarée.
276 *transir* : être saisi de froid.
brûler : Racine se souvient ici des grandes passionnées de l'Antiquité. Pensons à *Médée*, drame justement d'Euri-

D'un sang qu'elle poursuit tourments inévitables.
Par des vœux assidus je crus les détourner :
280 Je lui bâtis un temple, et pris soin de l'orner;
De victimes moi-même à toute heure entourée,
Je cherchais dans leurs flancs ma raison égarée•.
D'un incurable amour remèdes impuissants!
En vain sur les autels ma main brûlait l'encens :
285 Quand ma bouche implorait le nom de la Déesse,
J'adorais Hippolyte; et le voyant sans cesse,
Même au pied des autels que je faisais fumer,
J'offrais tout à ce dieu que je n'osais nommer.
Je l'évitais partout. O comble de misère•!
290 Mes yeux le retrouvaient dans les traits de son père.
Contre moi-même enfin j'osai me révolter :
J'excitai mon courage• à le persécuter.
Pour bannir l'ennemi dont j'étais idolâtre,
J'affectai les chagrins• d'une injuste marâtre;
295 Je pressai son exil, et mes cris éternels
L'arrachèrent du sein et des bras paternels.
Je respirais, Œnone; et depuis son absence,
Mes jours moins agités coulaient dans l'innocence.

---

pide et de Sénèque, puis mis en scène par Théocrite dans les *Magiciennes* dont voici, entre autres, le vers 83 : « A peine le vis-je, quel délire me saisit! » Pensons à la sœur de Phèdre, Ariane, qui a inspiré Catulle : « Elle n'avait pas encore détaché de lui ses regards ardents que déjà la flamme l'avait pénétrée tout entière et que toutes les moelles de son corps en étaient embrasées jusqu'au fond » (poème 63 de l'édition Budé, v. 91-93). Pensons à Sapho dont Boileau venait justement de traduire les vers suivants : « Je sens de veine en veine une subtile flamme | Courir par tout mon corps sitôt que je te vois | Un nuage confus se répand sur ma vue; | Je n'entends plus... | Et pâle, sans haleine, interdite, éperdue | Un frisson me saisit, je tremble, je me meurs. . .

282 *égarée :* voici naturellement Didon, la grande passionnée de l'*Énéide :* « Didon renouvelle tout le jour ses sacrifices, et penchée avidement sur les flancs ouverts des victimes, elle interroge leurs entrailles palpitantes. Hélas! que servent à une âme en délire les vœux et les temples! » (Virgile, *Énéide*, IV, v. 62-66).

289 *misère :* malheur.

292 *courage :* cœur.

294 *chagrins :* méchanceté.

Soumise à mon époux, et cachant mes ennuis•,
300 De son fatal hymen je cultivais les fruits•.
Vaines précautions! Cruelle destinée!
Par mon époux lui-même à Trézène amenée,
J'ai revu l'ennemi que j'avais éloigné :
Ma blessure trop vive aussitôt a saigné.
305 Ce n'est plus une ardeur dans mes veines cachée :
C'est Vénus toute entière• à sa proie attachée.

---

299 *ennuis :* tourments.
300 *fruits :* les deux enfants que Phèdre a eus de Thésée : Acamas et Démophon.
306 *toute entière :* au XVIIe siècle « tout » était considéré comme un adjectif. Aujourd'hui, on fait l'accord par euphonie lorsque l'adjectif qui suit commence par une consonne. On écrit donc « toute seule » mais « tout entière ».

QUESTIONS en vue de l'explication de la scène 3 :

I. Comparer :

1 *Racine et Euripide (voir Documents p. 139) :*
Qu'a-t-il pris à son modèle? Qu'a-t-il ajouté? Comment se manifeste son originalité?

2 *La confession d'Hippolyte et celle de Phèdre :*
du point de vue technique,
du point de vue des efforts de Théramène et d'Œnone,
des réactions d'Hippolyte et de Phèdre.

II. Distinguer les trois mouvements de la scène en notant :

1 *l'art de la présentation de Phèdre dans les cinq premières tirades — le développement de cette présentation dans la suite de la scène;*

2 *tous les moyens employés par Œnone pour faire avouer Phèdre;*

3 *le caractère lyrique et dramatique de l'aveu;*

4 *les différentes étapes de l'histoire de la passion de Phèdre.*

III. Expliquer le récit de Phèdre (v. 269-316).

1 *Essayer d'apprécier l'art classique dans l'ordonnance de ce récit.*

2 *Comment Racine y rend-il présente la fatalité?*

3 *Comment s'exprime la puissance de l'amour?*

4 *Quels sont les efforts de Phèdre pour lutter contre sa passion? Dans quelle mesure est-elle responsable?*

5 *Essayer d'apprécier la valeur incantatoire du vocabulaire.*

J'ai conçu pour mon crime une juste terreur;
J'ai pris la vie en haine, et ma flamme• en horreur.
Je voulais en mourant prendre soin de ma gloire•,
310 Et dérober au jour une flamme si noire• :
Je n'ai pu soutenir tes larmes, tes combats;
Je t'ai tout avoué; je ne m'en repens pas,
Pourvu que de ma mort respectant les approches,
Tu ne m'affliges• plus par d'injustes reproches,
315 Et que tes vains secours cessent de rappeler
Un reste• de chaleur tout prêt à s'exhaler.

SCÈNE IV : PHÈDRE, ŒNONE, PANOPE

PANOPE

Je voudrais vous cacher une triste• nouvelle,
Madame; mais il faut que je vous la révèle.
La mort vous a ravi votre invincible époux;
320 Et ce malheur n'est plus ignoré que de vous.

ŒNONE

Panope, que dis-tu?

---

308 *flamme :* amour. Mot du vocabulaire amoureux. Mais la métaphore a-t-elle beaucoup perdu de sa violence originelle?
309 *gloire :* réputation. On pense à Corneille.
310 *noire :* criminelle. Mais l'adjectif suggère une opposition violente avec « jour ».
314 *affliges :* accables (voir v. 161).
316 *reste :* ce sera aussi le dernier mot de l'acte I.
317 *triste :* funeste. Panope annonce en effet la mort de Thésée.

QUESTIONS en vue de l'explication de la scène 4 :

1 *L'importance de la nouvelle de la mort de Thésée à ce moment.*
2 *L'exclamation de Phèdre au vers 325 : sa place; sa valeur.*
3 *Les nouvelles politiques : leur signification présente et future.*

PANOPE

Que la Reine abusée•
En vain demande au ciel le retour de Thésée;
Et que par des vaisseaux arrivés dans le port
Hippolyte son fils vient d'apprendre sa mort.

PHÈDRE

325 Ciel!

PANOPE

Pour le choix d'un maître Athènes se partage.
Au Prince votre fils• l'un donne son suffrage,
Madame; et de l'État l'autre oubliant les lois,
Au fils de l'étrangère• ose donner sa voix.
On dit même qu'au• trône, une brigue• insolente
330 Veut placer Aricie et le sang de Pallante•.
J'ai cru de ce péril vous devoir avertir.
Déjà même Hippolyte est tout prêt à partir;
Et l'on craint, s'il paraît dans ce nouvel• orage,
Qu'il n'entraîne après lui tout un peuple volage.

ŒNONE

335 Panope, c'est assez. La Reine, qui t'entend,
Ne négligera point cet avis important.

SCÈNE V : PHÈDRE, ŒNONE

ŒNONE

Madame, je cessais de vous presser de vivre;
Déjà même au tombeau je songeais à vous suivre;
Pour vous en détourner je n'avais plus de voix;

---

321 *abusée :* vivant dans l'illusion que Thésée n'est pas mort.
326 *votre fils :* l'aîné des deux enfants de Phèdre.
328 *au fils de l'étrangère :* Panope parle comme Œnone (v. 202).
329 *au :* sur le. La préposition « à » est dotée de nombreux sens au XVIIe siècle.
brigue : parti séditieux.
330 *le sang de Pallante :* avec Aricie sur le trône, c'est la famille des Pallantides (qui sont, du reste, les héritiers légitimes) qui sera rétablie.
333 *nouvel :* imprévu.

340 Mais ce nouveau* malheur vous prescrit d'autres lois*.
Votre fortune* change et prend une autre face :
Le Roi n'est plus, Madame; il faut prendre sa place.
Sa mort vous laisse un fils à qui vous vous devez,
Esclave s'il vous perd, et roi si vous vivez.
345 Sur qui, dans son malheur, voulez-vous qu'il s'appuie?
Ses larmes n'auront plus de main qui les essuie :
Et ses cris innocents portés jusques aux Dieux,
Iront contre sa mère irriter* ses aïeux.

---

340 *nouveau malheur :* imprévu (voir la note précédente), mais aussi au sens ordinaire d' « autre malheur », le premier étant l'amour que Phèdre vient d'avouer à Œnone.
lois : obligations.
341 *fortune :* destinée.
348 *irriter :* exciter la colère.

QUESTIONS en vue de l'explication de la scène 5 :

1 *L'art de persuader chez Œnone :*
a) *ses arguments,*
b) *le caractère énergique et sentimental de la tirade.*

2 *L'importance dramatique du personnage.*

3 *L'attitude de Phèdre : son aveuglement.*

QUESTIONS d'ensemble sur l'acte I :

1 *La symétrie des scènes.*

2 *La place et le rôle des éléments dramatiques.*

3 *La valeur dynamique de l'exposition :*
a) *la rapidité de la présentation,*
b) *la participation du spectateur,*
c) *le rôle de Thésée,*
d) *la transformation des personnages.*

Vivez, vous n'avez plus de reproche à vous faire :
350 Votre flamme devient une flamme ordinaire•.
Thésée en expirant vient de rompre les nœuds
Qui faisaient tout le crime et l'horreur de vos feux•.
Hippolyte pour vous devient moins redoutable;
Et vous pouvez le voir sans vous rendre coupable.
355 Peut-être convaincu de votre aversion,
Il va donner un chef à la sédition.
Détrompez son erreur, fléchissez son courage•.
Roi• de ces bords heureux, Trézène est son partage;
Mais il sait que les lois donnent à votre fils
360 Les superbes remparts que Minerve a bâtis•.
Vous avez l'un et l'autre une juste ennemie•.
Unissez-vous tous deux pour combattre Aricie.

PHÈDRE

Hé bien! à• tes conseils je me laisse entraîner.
Vivons, si vers la vie on peut me ramener,
365 Et si l'amour d'un fils en ce moment funeste•
De mes faibles esprits• peut ranimer le reste.

---

350 *flamme ordinaire :* amour normal. Sans doute vrai puisqu'il n'y a plus d'adultère, mais en est-il de même du point de vue de l'inceste?

352 *l'horreur de vos feux :* le caractère effrayant de votre amour.

357 *courage :* cœur mais aussi volonté.

358 *roi :* apposé hardiment à « lui » dont l'idée est contenue dans « son ».

360 *bâtis :* périphrase pour désigner Athènes. Minerve s'appelait « Athéné » en grec.

361 *juste ennemie :* Aricie en effet est l'ennemie légitime et d'Hippolyte et de Phèdre.

363 *à :* par.

365 *moment funeste :* celui où Phèdre apprend la mort de son époux.

366 *esprits :* ce mot se trouve fréquemment au pluriel au XVIIe siècle; on admettait en effet la théorie des « esprits vitaux » et des « esprits animaux », petits corps légers et très subtils qui étaient censés être les principes de la vie et des sentiments.

I. **Une exposition** (sc. 1 et 3)

- qui nous frappe par son caractère rapide :

  deux scènes parallèles : deux confessions : deux amours coupables, un seul et même obstacle : Thésée;

- mais qui laisse en suspens l'amour d'Aricie :

  c'est la scène 1 de l'acte II qui nous renseignera.

II. **Entre-temps, un coup de théâtre :** la mort de Thésée (scène 4)
La mort vous a ravi votre invincible époux (v. 319).

III. **Conséquences :** les deux personnages sont libres.

- Hippolyte peut partir pour Athènes et revendiquer le trône (scène 4)

  car *Pour le choix d'un maître Athènes se partage* (v. 325)
  mais va-t-il auparavant se déclarer à Aricie?

- Phèdre peut et doit vivre (scène 5)

  car son fils a besoin d'elle : *Sur qui, dans son malheur, voulez-vous qu'il s'appuie?* (v. 345)

  son amour est possible : *Votre flamme devient une flamme ordinaire* (v. 350)

  mais pourra-t-elle, sur le conseil d'Œnone (v. 354),
  voir Hippolyte sans se rendre coupable?

ACTE II

SCÈNE PREMIÈRE : ARICIE, ISMÈNE

ARICIE

Hippolyte demande à me voir en ce lieu?
Hippolyte me cherche, et veut me dire adieu?
Ismène, dis-tu vrai? N'es-tu point abusée•?

ISMÈNE

370 C'est le premier effet de la mort de Thésée.
Préparez-vous, Madame, à voir de tous côtés
Voler vers vous les cœurs par Thésée écartés.
Aricie, à la fin•, de son sort est maîtresse,
Et bientôt à ses pieds verra toute la Grèce.

ARICIE

375 Ce n'est donc point, Ismène, un bruit mal affermi?
Je cesse d'être esclave, et n'ai plus d'ennemi?

ISMÈNE

Non, Madame, les Dieux ne vous sont plus contraires;
Et Thésée a rejoint les mânes de vos frères•.

ARICIE

Dit-on quelle aventure• a terminé ses jours?

ISMÈNE

380 On sème de sa mort d'incroyables discours•.
On dit que, ravisseur• d'une amante nouvelle,
Les flots ont englouti cet époux infidèle,
On dit même, et ce bruit est partout répandu,

---

369 *abusée :* ne te trompes-tu point?
373 *à la fin :* enfin.
378 *vos frères :* Thésée a rejoint aux enfers les Pallantides qu'il a massacrés.
379 *aventure :* ce qui arrive en bien ou en mal, événement.
380 *discours :* récits.
381 *ravisseur :* apposé, dans une construction très libre, à « cet époux infidèle ».

Qu'avec Pirithoüs aux enfers descendu•,
385 Il a vu le Cocyte• et les rivages sombres,
Et s'est montré vivant aux infernales ombres;
Mais qu'il n'a pu sortir de ce triste• séjour,
Et repasser les bords qu'on passe sans retour•.

ARICIE

Croirai-je qu'un mortel, avant sa dernière heure,
390 Peut• pénétrer• des morts la profonde demeure?
Quel charme• l'attirait sur ces bords redoutés?

ISMÈNE

Thésée est mort, Madame, et vous seule en doutez :
Athènes en gémit, Trézène en est instruite,
Et déjà pour son roi reconnaît Hippolyte.
395 Phèdre, dans ce palais, tremblante• pour son fils,
De ses amis troublés demande les avis.

ARICIE

Et tu crois que pour moi plus humain que son père,
Hippolyte rendra ma chaîne plus légère?
Qu'il plaindra mes malheurs?

---

384 *aux enfers descendu :* Racine, dans sa Préface (p. 26), cite ses sources. Plutarque (vie de *Thésée*, 31) rapporte que Thésée accompagna son ami Pirithoüs, roi des Lapithes (en Thessalie) en Épire, vers la source de l'Achéron. Pirithoüs voulait y enlever une reine dont il était amoureux. Comme Thésée y fut retenu prisonnier (III, sc. 5, v. 956) et que l'action se déroulait aux bords de l'Achéron, on imagina qu'il était descendu aux enfers pour enlever Proserpine, l'épouse de Pluton. En outre, le nom de ce roi, Aedonée, prêtait confusion avec celui d'Hadès (Pluton).

385 *Cocyte :* fleuve situé aussi en Épire et communiquant avec les enfers.

387 *triste :* funèbre.

388 *sans retour :* souvenir de Virgile (*Enéide*, II, 423) : *La rive de l'onde qu'on ne repasse pas.*

390 *peut :* devrait être au subjonctif. L'indicatif insiste sur le fait.
pénétrer : transitif direct. Cf. « pénétrer les secrets de quelqu'un ».

391 *charme :* attrait magique (cf. v. 190).

395 *tremblante :* l'accord du participe présent est fréquent au XVIIe siècle.

ISMÈNE

Madame, je le croi•.

ARICIE

400 L'insensible Hippolyte est-il connu de toi?
Sur quel frivole espoir penses-tu qu'il me plaigne,
Et respecte en moi seule un sexe qu'il dédaigne?
Tu vois depuis quel temps il évite nos pas,
Et cherche tous les lieux où nous ne sommes pas.

ISMÈNE

405 Je sais de ses froideurs tout ce que l'on récite•;
Mais j'ai vu près de vous ce superbe Hippolyte;
Et même en le voyant•, le bruit• de sa fierté
A redoublé pour lui ma curiosité.
Sa présence• à ce bruit n'a point paru répondre :
410 Dès vos premiers regards je l'ai vu se confondre•.
Ses yeux, qui vainement voulaient vous éviter,
Déjà pleins de langueur, ne pouvaient vous quitter.
Le nom d'amant peut-être offense son courage•;
Mais il en a les yeux, s'il n'en a le langage.

ARICIE

415 Que mon cœur, chère Ismène, écoute avidement
Un discours qui peut-être a peu de fondement!
O toi qui me connais, te semblait-il croyable
Que le triste jouet d'un sort impitoyable,
Un cœur toujours nourri d'amertume et de pleurs,
420 Dût connaître l'amour et ses folles douleurs?
Reste du sang d'un roi noble fils de la terre•,

---

399 *croi :* forme étymologique admise pour la rime (cf. *revoi*, v. 155).

405 *récite :* raconte.

407 *en le voyant :* pendant que je le voyais. Au XVIIe siècle, le sujet du participe précédé de « en » pouvait ne pas être le même que celui du verbe personnel.
bruit : renommée.

409 *présence :* aspect.

410 *se confondre :* devenir confus, se troubler.

413 *courage* : cœur.

421 *noble fils de la terre :* fils de Gaïa (la terre), Érechthée est l'ancêtre direct des Pallantides, donc d'Aricie, et, à un moindre degré, de Thésée.

Je suis seule échappée• aux fureurs de la guerre.
J'ai perdu, dans la fleur de leur jeune saison,
Six frères•, quel espoir d'une illustre maison•!
425 Le fer moissonna tout; et la terre humectée
But à regret• le sang• des neveux• d'Érechthée.
Tu sais, depuis leur mort, quelle sévère loi
Défend à tous les Grecs de soupirer pour moi :
On craint que de la sœur les flammes téméraires•
430 Ne raniment un jour la cendre de ses frères.
Mais tu sais bien aussi de quel œil dédaigneux
Je regardais ce soin• d'un vainqueur soupçonneux.
Tu sais que de tout temps à l'amour opposée•,
Je rendais souvent grâce à l'injuste Thésée,
435 Dont l'heureuse rigueur secondait mes mépris.
Mes yeux alors, mes yeux n'avaient pas vu son fils.
Non que par les yeux seuls lâchement• enchantée•,
J'aime en lui sa beauté, sa grâce tant vantée,
Présents dont la nature a voulu l'honorer,
440 Qu'il méprise lui-même, et qu'il semble ignorer.
J'aime, je prise• en lui de plus nobles richesses,
Les vertus de son père, et non point les faiblesses.
J'aime, je l'avouerai, cet orgueil généreux•

---

422 *je suis échappée :* se disait pour marquer l'état, à côté de « j'ai échappé », qui marque le fait.

424 *six frères :* ils étaient cinquante chez Plutarque.
maison : encore un souvenir de Virgile (*Énéide*, II, 503) : *Espoir d'une nombreuse postérité.*

426 *à regret :* car Érechthée était le fils de la Terre.
sang : sens propre et en même temps symbole de la descendance.
neveux : descendants. Expression courante dans l'épopée antique.

429 *flammes téméraires :* le mariage d'Aricie serait un acte de révolte et la promesse d'une vengeance.

432 *soin :* souci.

433 *à l'amour opposée :* Hippolyte ne parlait pas autrement.

437 *lâchement :* honteusement.
enchantée : victime d'une sorte de philtre magique.

441 *prise :* estime.

443 *généreux :* de noble race.

Qui jamais n'a fléchi sous le joug• amoureux.
445 Phèdre en vain s'honorait des soupirs• de Thésée :
Pour moi, je suis plus fière, et fuis la gloire aisée
D'arracher un hommage à mille autres offert,
Et d'entrer dans un cœur de toutes parts ouvert.
Mais de• faire fléchir un courage• inflexible,
450 De porter la douleur dans une âme insensible,
D'enchaîner un captif de ses fers étonné•,
Contre un joug qui lui plaît vainement mutiné :
C'est là ce que je veux, c'est là ce qui m'irrite•.
Hercule• à désarmer coûtait moins qu'Hippolyte
455 Et vaincu plus souvent, et plus tôt surmonté,
Préparait moins de gloire aux yeux qui l'ont dompté.
Mais, chère Ismène, hélas! quelle est mon imprudence!
On ne m'opposera que trop de résistance.
Tu m'entendras peut-être humble dans mon ennui•,

---

444 *joug amoureux :* image reprise au vers 452, évoquant les liens de l'amour.
445 *soupirs :* provoqués par l'amour (cf. I, v. 97).
449 *de :* inversion (cf. De porter, v. 450; d'enchaîner, v. 451) du complément de « c'est ce que je veux » (v. 453) précisé par « là ».
courage : cœur.
451 *étonné :* frappé d'un coup de tonnerre (sens étymologique).
453 *irrite :* excite mon ambition.
454 *Hercule :* allusion aux victoires remportées par l'amour sur Hercule.
459 *ennui :* tourment.

QUESTIONS en vue de l'explication de la scène 1 :

1 *Préciser le rôle de l'entracte :*
a) *du point de vue de la situation politique,*
b) *du point de vue des nouveaux rapports entre les personnages.*

2 *Comparer la scène 1 de l'acte II et la scène 1 de l'acte I :*
a) *quant à leur valeur d'exposition,*
b) *quant au récitatif d'Aricie (v. 415-462) et au récitatif d'Hippolyte (v. 65-113).*

3 *Dans quelle mesure Aricie ressemble-t-elle à Hippolyte?*

460 Gémir du même orgueil que j'admire aujourd'hui.
Hippolyte aimerait? Par quel bonheur extrême
Aurais-je pu fléchir....

ISMÈNE

Vous l'entendrez lui-même :
Il vient à vous.

SCÈNE II : HIPPOLYTE, ARICIE, ISMÈNE

déclaration

HIPPOLYTE

Madame, avant que de partir,
J'ai cru de votre sort• vous devoir avertir.
465 Mon père ne vit plus. Ma juste• défiance
Présageait les raisons de sa trop longue absence :
La mort seule, bornant ses travaux• éclatants,
Pouvait à l'univers le cacher si longtemps.
Les Dieux livrent enfin à la parque• homicide
470 L'ami, le compagnon, le successeur d'Alcide•.
Je crois que votre haine, épargnant ses vertus•,
Écoute sans regret• ces noms qui lui sont dus.
Un espoir adoucit ma tristesse mortelle :
Je puis vous affranchir d'une austère• tutelle.
475 Je révoque des lois dont j'ai plaint• la rigueur.
Vous pouvez disposer de vous, de votre cœur;

---

464 *sort :* ce que vous allez devenir.
465 *juste :* légitime, car elle est fondée sur la réalité.
467 *travaux :* exploits (cf. « les travaux d'Hercule ».)
469 *parque :* divinité de la mort.
470 *Alcide :* Hercule. Les travaux de Thésée sont perpétuellement associés à ceux d'Hercule.
471 *vertus :* la haine d'Aricie ne peut aller jusqu'à méconnaître la grandeur de Thésée.
472 *sans regret :* sans déplaisir.
474 *austère :* sévère (sens latin).
475 *plaint :* déploré.

Et dans cette Trézène, aujourd'hui mon partage,
De mon aïeul Pitthée• autrefois l'héritage,
Qui m'a, sans balancer•, reconnu pour son roi,
480 Je vous laisse aussi libre, et plus libre que moi.

ARICIE

Modérez des bontés dont l'excès m'embarrasse.
D'un soin si généreux• honorer ma disgrâce,
Seigneur, c'est me ranger, plus que vous ne pensez,
Sous ces austères lois dont vous me dispensez•.

HIPPOLYTE

485 Du choix d'un successeur Athènes incertaine,
Parle de vous, me• nomme, et le fils• de la Reine.

ARICIE

De moi, Seigneur ?

HIPPOLYTE

Je sais, sans vouloir me flatter,
Qu'une superbe• loi semble me rejeter.
La Grèce me reproche une mère étrangère.
490 Mais si pour concurrent je n'avais que mon frère•,
Madame, j'ai• sur lui de véritables droits
Que je saurais sauver du caprice des lois.
Un frein plus légitime arrête mon audace :
Je vous cède, ou plutôt je vous rends une place,

---

478 *Pitthée :* fils de Jupiter, roi fondateur de Trézène, grand-père maternel de Thésée. Le vers 478 est une justification des droits d'Hippolyte.

479 *balancer :* hésiter.

482 *d'un soin si généreux :* avec un zèle si magnanime.

484 *dont vous me dispensez :* car en retrouvant ma liberté, je serai enchaînée par la reconnaissance et par l'amour.

486 *me nomme :* me donne le nom de successeur.
et le fils : et nomme aussi le fils aîné de Phèdre.

488 *superbe :* Hippolyte dénonce le caractère injuste d'une loi qui le rejetterait parce que sa mère est étrangère, sans pour autant se flatter.

490 *mon frère :* le fils aîné de Phèdre.

491 *j'ai :* on attend : « je saurais sauver les droits que j'ai ». Racine transpose le conditionnel dans la relative et l'indicatif de la principale insiste sur la réalité du fait.

495 Un sceptre que jadis vos aïeux ont reçu•
De ce fameux mortel que la terre a conçu•.
L'adoption le mit entre les mains d'Égée•.
Athènes, par mon père accrue et protégée,
Reconnut avec joie un roi si généreux•,
500 Et laissa dans l'oubli vos frères malheureux.
Athènes dans ses murs maintenant vous rappelle.
Assez• elle a gémi d'une longue querelle;
Assez dans ses sillons votre sang englouti
A fait fumer le champ dont il était sorti•.
505 Trézène m'obéit. Les campagnes de Crète
Offrent au fils de Phèdre une riche retraite.
L'Attique est votre bien. Je pars, et vais pour vous
Réunir tous les vœux partagés entre nous.

ARICIE

De tout ce que j'entends étonnée et confuse,
510 Je crains presque, je crains qu'un songe ne m'abuse.
Veillé-je? Puis-je croire• un semblable dessein?
Quel Dieu, Seigneur, quel Dieu l'a mis dans votre sein?
Qu'à bon droit votre gloire en tous lieux est semée!
Et que la vérité passe• la renommée!
515 Vous-même, en ma faveur, vous voulez vous trahir?
N'était-ce pas assez de ne me point haïr,
Et d'avoir si longtemps pu défendre votre âme
De cette inimitié....

---

495 *reçu :* accord avec le dernier complément.

496 *conçu :* Érechthée (cf. le v. 421).

497 *Égée :* certaines légendes racontent qu'Égée, père de Thésée, fut adopté par Pandion, roi d'Athènes, descendant d'Érechthée. Pallas (ou Pallante), père d'Aricie, était au contraire son fils légitime. Aricie a donc plus de titres au trône qu'Hippolyte.

499 *un roi si généreux :* par son génie, Thésée en effet organisa les bourgades d'Athènes en une seule cité.

502 *assez :* trop.

504 *sorti :* pour montrer le lien naturel qui unit la terre à ses descendants, Hippolyte reprend les expressions d'Aricie (cf. v. 421 et 425-6).

511 *croire :* employé ici comme verbe transitif direct.

514 *passe :* dépasse. Racine, comme Malherbe dans le vers célèbre (*Et les fruits passeront les promesses des fleurs*) emploie le simple pour le composé.

HIPPOLYTE

Moi, vous haïr, Madame?
Avec quelques couleurs qu'on ait peint• ma fierté,
520 Croit-on que dans ses flancs un monstre m'ait porté?
Quelles sauvages mœurs, quelle haine endurcie
Pourrait•, en vous voyant•, n'être point adoucie?
Ai-je pu résister au charme• décevant•....

ARICIE

Quoi? Seigneur.

HIPPOLYTE

Je me suis engagé trop avant.
525 Je vois que la raison cède à la violence•.
Puisque j'ai commencé de• rompre le silence,
Madame, il faut poursuivre : il faut vous informer
D'un secret que mon cœur ne peut plus renfermer•.
Vous voyez devant vous un prince déplorable•,
530 D'un téméraire orgueil exemple mémorable•.
Moi qui contre l'amour fièrement révolté,
Aux fers de ses captifs ai longtemps insulté;
Qui des faibles mortels déplorant les naufrages,
Pensais toujours du bord contempler les orages•;

---

519 *peint :* dépeint. Encore le simple pour le composé.
522 *pourrait :* accord du verbe avec le sujet le plus rapproché, comme en latin.
en vous voyant : quand on vous voit (cf. la note du v. 234).
523 *charme :* pouvoir magique exercé par la personne aimée.
décevant : trompeur. Hippolyte, en effet, considère comme un malheur d'être vaincu par l'amour.
525 *à la violence :* de mon amour.
526 *de :* à. Les emplois de « de » sont variés au XVIIe siècle.
528 *renfermer :* tenir enfermé.
529 *déplorable :* digne de pitié. Ne s'emploie généralement aujourd'hui qu'avec des noms de choses.
530 *mémorable :* ce vers est un écho du vers 112 : *Donnerai-je l'exemple à la témérité?*
534 *orages :* souvenir évident du célèbre début du livre II de Lucrèce (*De Natura rerum*, II, 1-2) : « Il est doux, quand sur la vaste mer, les vents soulèvent les flots,/D'assister de la terre aux épreuves d'autrui. »

535 Asservi• maintenant sous la commune loi,
Par quel trouble me vois-je emporté loin de moi?
Un moment a vaincu mon audace imprudente :
Cette âme• si superbe• est enfin dépendante.
Depuis près de six mois, honteux, désespéré,
540 Portant partout le trait dont• je suis déchiré,
Contre vous, contre moi, vainement je m'éprouve• :
Présente, je vous fuis; absente, je vous trouve;
Dans le fond des forêts votre image me suit;
La lumière du jour, les ombres de la nuit,
545 Tout retrace à mes yeux les charmes que j'évite;
Tout vous livre à l'envi le rebelle Hippolyte.
Moi-même, pour tout fruit de mes soins• superflus,
Maintenant je me cherche, et ne me trouve plus•.
Mon arc, mes javelots, mon char, tout m'importune;
550 Je ne me souviens plus des leçons de Neptune•,
Mes seuls gémissements font retentir les bois,

---

535 *asservi :* soumis en esclave à.
538 *cette âme :* emploi latin du démonstratif au sens de « mon âme ».
superbe : cet adjectif revient comme un leitmotiv pour caractériser Hippolyte.
540 *dont :* par lequel (cf. v. 3).
541 *m'éprouve :* me mets à l'épreuve.
547 *soins :* efforts.
548 *ne me trouve plus :* on pense à Pascal : *Tu ne me chercherais pas si tu ne m'avais trouvé.*
550 *les leçons de Neptune :* l'équitation (cf. v. 131). Ce vers n'annonce-t-il pas le dénouement?

QUESTIONS en vue de l'explication de la scène 2 :

1 *Comment la gracieuse Aricie se joue-t-elle du rude Hippolyte?*

2 *Expliquer le récit d'Hippolyte (v. 537-552) :*
a) *noter la composition de l'ensemble du discours (v. 524-560),*
b) *situer le récitatif (v. 537-552) dans le discours,*
c) *caractériser le lyrisme de ce couplet.*
d) *Quel est en réalité le drame d'Hippolyte?*
e) *Comment Racine exprime-t-il la violence de son amour?*

Et mes coursiers oisifs ont oublié ma voix•.
Peut-être le récit d'un amour si sauvage
Vous fait, en m'écoutant, rougir• de votre ouvrage.
555 D'un cœur• qui s'offre à vous quel farouche• entretien!
Quel étrange captif pour un si beau lien!
Mais l'offrande à vos yeux en• doit être plus chère.
Songez que je vous parle une langue étrangère•.
Et ne rejetez pas des vœux mal exprimés,
560 Qu'Hippolyte sans vous n'aurait jamais formés.

SCÈNE III : HIPPOLYTE, ARICIE, THÉRAMÈNE, ISMÈNE

THÉRAMÈNE

Seigneur, la Reine vient, et je l'ai devancée.
Elle vous cherche.

HIPPOLYTE

Moi?

THÉRAMÈNE

J'ignore sa pensée.
Mais on vous• est venu demander de sa part.
Phèdre veut vous parler avant votre départ.

HIPPOLYTE

565 Phèdre? Que lui dirai-je? Et que peut-elle attendre?...

---

552 *ma voix :* Hippolyte reprend pour son compte les observations de Théramène (v. 128-134).
554 *rougir :* comme celui de Phèdre (cf. v. 182), l'amour d'Hippolyte et d'Aricie s'accompagne de honte.
555 *d'un cœur :* de la part d'un cœur.
farouche : d'une rudesse sauvage. Emploi exceptionnel pour caractériser un « entretien ».
557 *en :* du fait que c'est un étrange captif.
558 *étrangère :* qui m'est inconnue.
563 *vous :* le pronom personnel ainsi placé devant un verbe suivi d'un infinitif est un trait courant de la langue du XVIIe siècle.

ARICIE

Seigneur, vous ne pouvez refuser de l'entendre.
Quoique trop convaincu de son inimitié,
Vous devez à ses pleurs quelque ombre de pitié.

HIPPOLYTE

Cependant• vous sortez. Et je pars. Et j'ignore
570 Si je n'offense point les charmes• que j'adore!
J'ignore si ce cœur que je laisse en vos mains....

ARICIE

Partez, Prince, et suivez vos généreux• desseins.
Rendez de mon pouvoir Athènes tributaire•.
J'accepte tous les dons que vous me voulez faire.
575 Mais cet empire enfin si grand, si glorieux,
N'est pas de vos présents le plus cher à mes yeux•.

SCÈNE IV : HIPPOLYTE, THÉRAMÈNE

HIPPOLYTE

Ami, tout est-il prêt? Mais la Reine s'avance.
Va, que pour le départ tout s'arme en diligence.
Fais donner le signal, cours, ordonne, et revien•
580 Me délivrer bientôt d'un fâcheux• entretien.

---

569 *cependant :* pendant ce temps-là.
570 *les charmes :* tout ce qui dans votre personne me tient sous son pouvoir magique. Mot employé au pluriel comme dans le vers 545.
572 *généreux :* inspirés par votre noblesse d'âme.
573 *tributaire de :* payant tribut à, placé sous la domination de.
576 *à mes yeux :* tout ce vers est un aveu sous forme de litote.
579 *revien :* orthographe conforme à l'étymologie, employée ainsi pour la rime.
580 *fâcheux :* importun.

QUESTIONS en vue de l'explication de la scène 3 :

1 *Quel est l'effet dramatique de la nouvelle apportée par Théramène?*

2 *Quelle est l'attitude des jeunes gens à ce moment?*

SCÈNE V : PHÈDRE, HIPPOLYTE, ŒNONE

PHÈDRE, *à Œnone*

Le voici. Vers mon cœur tout mon sang se retire•.
J'oublie, en le voyant, ce que je viens lui dire•.

ŒNONE

Souvenez-vous d'un fils qui n'espère qu'en vous.

PHÈDRE

On dit qu'un prompt départ vous éloigne de nous,
585 Seigneur. A vos douleurs je viens joindre mes larmes.
Je vous• viens pour un fils expliquer• mes alarmes.
Mon fils n'a plus de père : et le jour n'est pas loin
Qui de ma mort encor• doit le rendre témoin.
Déjà mille ennemis attaquent son enfance.
590 Vous seul pouvez contre eux embrasser sa défense.
Mais un secret remords agite mes esprits•.
Je crains d'avoir fermé votre oreille à ses cris.
Je tremble que sur lui votre juste• colère
Ne poursuive bientôt une odieuse mère.

HIPPOLYTE

595 Madame, je n'ai point des sentiments si bas.

PHÈDRE

Quand vous me haïriez, je ne m'en plaindrais pas,
Seigneur. Vous m'avez vue attachée• à vous nuire;
Dans le fond de mon cœur vous ne pouviez pas lire.

---

581 *se retire :* reflue.
582 *ce que je viens lui dire :* elle vient l'entretenir de son fils. Cf. I, sc. 5 et les paroles d'Œnone : « un fils à qui vous vous devez » (v. 343).
586 *vous :* le pronom personnel placé ainsi est particulièrement fréquent avec le verbe « venir » (cf. le v. 563).
expliquer : exposer.
588 *encor :* en outre.
591 *esprits :* mot fréquemment employé au pluriel au XVIIe siècle (cf. le v. 366).
593 *juste :* justifiée par mon attitude (cf. v. 40).
597 *attachée à :* acharnée à.

A votre inimitié j'ai pris soin de m'offrir•.
600 Aux• bords que j'habitais je n'ai pu vous souffrir.
En public, en secret, contre vous déclarée•,
J'ai voulu par des mers en• être séparée;
J'ai même défendu, par une expresse loi,
Qu'on osât prononcer votre nom devant moi.
605 Si pourtant à l'offense on mesure la peine,
Si la haine peut seule attirer votre haine,
Jamais femme ne fut plus digne de pitié•,
Et moins digne, Seigneur, de votre inimitié•.

HIPPOLYTE

Des droits de ses enfants une mère jalouse
610 Pardonne rarement au fils d'une autre épouse.
Madame, je le sais. Les soupçons importuns
Sont d'un second hymen les fruits les plus communs.
Tout autre aurait pour moi pris les mêmes ombrages•,
Et j'en aurais peut-être essuyé plus d'outrages.

PHÈDRE

615 Ah! Seigneur, que le ciel, j'ose ici l'attester,
De cette loi commune a voulu m'excepter!
Qu'un soin• bien différent me trouble et me dévore!

HIPPOLYTE

Madame, il n'est pas temps de vous troubler encore.
Peut-être votre époux voit encore le jour;
620 Le ciel peut à nos pleurs accorder son retour.

---

599 *m'offrir :* en vous persécutant, j'ai fait tous mes efforts pour m'exposer à votre haine.
600 *aux :* sur les.
601 *déclarée :* m'étant déclarée contre vous.
602 *en :* de vous. Le bon usage, aujourd'hui, n'emploie « en » que pour désigner des noms de chose.
607 *digne de pitié :* car plus je vous offensais, plus j'avais de peine (cf. v. 605).
608 *inimitié :* car, en réalité, je ne vous haïssais pas (cf. v. 606).
613 *pris les mêmes ombrages :* aurait eu la même défiance à mon égard. On dit aujourd'hui : « prendre ombrage de ».
617 *soin :* préoccupation.

Neptune le protège, et ce dieu tutélaire•
Ne sera pas en vain imploré par mon père•.

PHÈDRE

On ne voit point deux fois le rivage des morts,
Seigneur. Puisque Thésée a vu les sombres bords•,
625 En vain vous espérez qu'un dieu vous le renvoie,
Et l'avare Achéron• ne lâche point sa proie•.
Que dis-je? Il n'est point mort, puisqu'il respire en vous.
Toujours devant mes yeux je crois voir mon époux.
Je le vois, je lui parle; et mon cœur... Je m'égare,
630 Seigneur, ma folle• ardeur malgré moi se déclare.

HIPPOLYTE

Je vois de votre amour l'effet prodigieux.
Tout mort qu'il est, Thésée est présent à vos yeux;
Toujours de son amour votre âme est embrasée•.

PHÈDRE

Oui, Prince, je languis•, je brûle pour Thésée.
635 Je l'aime, non point tel que l'ont vu les enfers,
Volage adorateur de mille objets• divers,
Qui va du dieu des morts déshonorer la couche•;

---

621 *tutélaire :* protecteur. Certaines légendes faisaient passer Thésée pour le fils de Neptune.

622 *par mon père :* annonce du dénouement.

624 *les sombres bords :* cf. le v. 385 : *Il a vu le Cocyte et les rivages sombres.*

626 *l'avare Achéron :* l'Achéron qui ne veut pas restituer. Transposition de l'épithète virgilienne (*Géorgiques*, II, 492).
sa proie : Racine se souvient de Sénèque (*Phèdre*, v. 625) : *Le maître du royaume qui ne lâche point sa proie.*

630 *folle :* condamnable au nom de la mesure et de la raison.

633 *embrasée :* métaphore du langage amoureux mais à prendre au sens étymologique répondant au mot « ardeur » du vers 630.

634 *languis :* au sens physique de « souffrir de langueur ».

636 *objets :* ce mot, dans le langage galant du XVIIe siècle, désignait la femme aimée.

637 *la couche :* on rapportait que Thésée était descendu aux enfers pour enlever Proserpine, femme de Pluton (cf. v. 383-388).

Mais fidèle, mais fier, et même un peu farouche•,
Charmant•, jeune, traînant tous les cœurs après soi•,
640 Tel qu'on dépeint nos• dieux, ou tel que je vous voi•.
Il avait votre port, vos yeux, votre langage•,
Cette• noble pudeur colorait son visage•
Lorsque de notre Crète il traversa les flots•,
Digne sujet des vœux des filles de Minos•.
645 Que faisiez-vous alors?• Pourquoi, sans Hippolyte,
Des héros de la Grèce assembla-t-il l'élite•?
Pourquoi, trop jeune encor, ne pûtes-vous alors
Entrer dans le vaisseau qui le mit sur nos bords?
Par vous aurait péri le monstre de la Crète•,
650 Malgré tous les détours de sa vaste retraite•.
Pour en développer• l'embarras incertain•,
Ma sœur du fil fatal• eût armé votre main.
Mais non, dans ce dessein je l'aurais devancée :

---

638 *farouche :* renfermé dans son orgueil.
639 *charmant :* exerçant un attrait contre lequel Phèdre ne peut rien.
soi : lui. Survivance du réfléchi. Incorrect aujourd'hui.
640 *nos :* la religion grecque, en effet, donnait forme humaine à ses dieux.
voi : forme étymologique à la rime (cf. v. 155).
641 *langage :* façon de parler.
642 *cette :* votre (latinisme). Mais la valeur démonstrative subsiste.
colorait son visage : il est permis d'en douter.
643 *il traversa les flots :* l'expression semble assimiler le vaisseau à un char (signe de la transparence Hippolyte/Thésée).
644 *Minos :* digne d'être aimé par Ariane et Phèdre. Prononcer Mino.
645 *que faisiez-vous alors? :* Hippolyte était trop jeune. Pour autant qu'on puisse établir une chronologie, Thésée épousa Phèdre très peu de temps seulement après avoir épousé Antiope.
646 *l'élite :* en fait, Thésée était seul avec les sept jeunes gens et les sept jeunes filles réservés au Minotaure.
649 *le monstre de la Crète :* le Minotaure.
650 *sa vaste retraite :* le labyrinthe.
651 *développer :* débrouiller.
l'embarras incertain : les détours inextricables.
652 *fil fatal :* le fameux fil d'Ariane dont dépendait le destin de Thésée et qui causa la mort du Minotaure.

L'amour m'en eût d'abord• inspiré la pensée.
655 C'est moi, Prince, c'est moi dont l'utile secours
Vous eût du Labyrinthe enseigné les détours.
Que de soins• m'eût coûtés cette tête charmante•!
Un fil n'eût point assez rassuré votre amante•.
Compagne du péril qu'il vous fallait chercher,
660 Moi-même devant vous j'aurais voulu marcher;
Et Phèdre au Labyrinthe avec vous descendue
Se serait avec vous retrouvée, ou perdue•.

HIPPOLYTE

Dieux! qu'est-ce que j'entends? Madame, oubliez-vous
Que Thésée est mon père, et qu'il est votre époux?

PHÈDRE

665 Et sur quoi jugez-vous que j'en perds la mémoire,
Prince? Aurais-je perdu tout le soin de ma gloire•?

HIPPOLYTE

Madame, pardonnez. J'avoue, en rougissant,
Que j'accusais à tort un discours innocent.
Ma honte ne peut plus soutenir votre vue;
670 Et je vais....

PHÈDRE

Ah! cruel, tu m'as trop entendue•.
Je t'en ai dit assez pour te tirer d'erreur.
Hé bien! connais donc Phèdre et toute sa fureur•.

---

654 *m'en eût d'abord :* m'aurait donné, à moi la première, l'idée de vous armer du fil.

657 *soins :* préoccupations de l'amante.
cette tête charmante : votre personne dont la présence m'envoûte. (Pour *tête* cf. le v. 6.)

658 *votre amante :* le rêve d'amour chez Phèdre atteint dans cette expression son paroxysme.

662 *perdue :* mot à double sens. Matériellement, Phèdre se serait égarée de sa route et moralement elle se serait perdue d'honneur.

666 *gloire :* réputation.

670 *entendue :* comprise.

672 *fureur :* folie amoureuse. Mot employé tantôt au singulier, tantôt au pluriel (cf. v. 259) : *De l'amour, j'ai toutes les fureurs.*

J'aime. Ne pense pas qu'au moment que• je t'aime,
Innocente à mes yeux, je m'approuve moi-même ;
675 Ni que du fol amour qui trouble ma raison
Ma lâche complaisance ait nourri le poison.
Objet infortuné des vengeances célestes,
Je m'abhorre encor plus que tu ne me détestes.
Les Dieux m'en sont témoins, ces Dieux qui dans mon flanc,
680 Ont allumé le feu fatal• à tout mon sang• ;
Ces Dieux qui se sont fait une gloire cruelle
De séduire• le cœur d'une faible mortelle.
Toi-même en ton esprit rappelle le passé.
C'est peu de t'avoir fui, cruel, je t'ai chassé ;
685 J'ai voulu te paraître odieuse, inhumaine ;
Pour mieux te résister, j'ai recherché ta haine•.
De quoi m'ont profité• mes inutiles soins ?
Tu me haïssais plus, je ne t'aimais pas moins.
Tes malheurs te prêtaient encor de nouveaux charmes•.
690 J'ai langui, j'ai séché, dans les feux, dans les larmes.
Il suffit de tes yeux pour t'en persuader,
Si tes yeux un moment pouvaient me regarder.
Que dis-je ? Cet aveu que je te viens de faire,
Cet aveu si honteux, le crois-tu volontaire ?
695 Tremblante• pour un fils que je n'osais trahir,
Je te• venais prier de ne le point haïr.

---

673 *au moment que :* au moment où.

680 *feu fatal :* amour marqué par le destin et contre lequel on ne peut rien.
sang : la famille de Phèdre (Ariane et Pasiphaé).

682 *séduire :* entraîner hors du droit chemin.

686 *ta haine :* attitude déjà illustrée par Théramène (v. 39-40) et Phèdre elle-même (v. 291-296).

687 *de quoi m'ont profité :* de quel profit ont été pour moi.

689 *charmes :* écho du vers célèbre de *Britannicus* (v. 402) : *J'aimais jusqu'à ses pleurs que je faisais couler.*

695 *tremblante :* accord fréquent du participe présent au XVIIe siècle (cf. le v. 395).

696 *te :* pronom toujours placé ainsi avec le verbe venir suivi d'un infinitif (cf. v. 563, 586).

Faibles projets d'un cœur trop plein de ce qu'il aime!
Hélas! je ne t'ai pu parler que de toi-même.
Venge-toi, punis-moi d'un odieux amour.
700 Digne fils du héros qui t'a donné le jour,
Délivre l'univers d'un monstre• qui t'irrite.
La veuve de Thésée ose aimer Hippolyte•!
Crois-moi, ce monstre affreux ne doit point t'échapper.
Voilà mon cœur. C'est là que ta main doit frapper.
705 Impatient déjà d'expier son offense•,
Au-devant de ton bras je le• sens qui s'avance.
Frappe. Ou si tu le crois indigne de tes coups,

---

701 *monstre :* ce mot dont la fréquence est révélatrice, unit les criminels légendaires (cf. v. 79 : *les monstres étouffés* par Thésée) aux criminels tragiques, comme ici, ou plus loin (cf. v. 703), effrayés de leur enfer intérieur.
702 *Hippolyte :* vers qui résume la tragédie.
705 *son offense :* l'offense qu'il t'a faite.
706 *le :* mon cœur. Notons la hardiesse de l'image.

QUESTIONS en vue de l'explication de la scène 5 :

1 *Quelle est l'originalité de Racine par rapport à Sénèque (voir Documents p. 142) ?*

2 *Noter les différentes étapes de l'aveu en essayant de faire la part de la lucidité et de l'élan passionnel.*

3 *Définir les caractères de la passion racinienne.*

4 *Quel rôle joue le passé ?*

5 *Phèdre inspire-t-elle la pitié ?*

6 *Quelle est l'attitude d'Hippolyte pendant la scène ?*

7 *Opposer, du point de vue du rythme et de la poésie, les deux tirades de Phèdre :*
a) *du vers 634 au vers 662,*
b) *du vers 670 au vers 711.*

Si ta haine m'envie• un supplice si doux,
Ou si d'un sang trop vil ta main serait trempée•,
710 Au défaut de ton bras prête-moi ton épée.
Donne•.

ŒNONE

Que faites-vous, Madame? Justes Dieux!
Mais on vient. Évitez des témoins odieux;
Venez, rentrez, fuyez une honte certaine.

SCÈNE VI : HIPPOLYTE, THÉRAMÈNE

THÉRAMÈNE

Est-ce Phèdre qui fuit, ou plutôt qu'on entraîne?
715 Pourquoi, Seigneur, pourquoi ces marques de douleur?
Je vous vois sans épée, interdit, sans couleur.

HIPPOLYTE

Théramène, fuyons. Ma surprise est extrême.
Je ne puis sans horreur• me regarder moi-même.
Phèdre.... Mais non, grands Dieux! qu'en un profond oubli
720 Cet horrible secret demeure enseveli.

THÉRAMÈNE

Si vous voulez partir, la voile est préparée.
Mais Athènes, Seigneur, s'est déjà déclarée.
Ses chefs ont pris les voix de toutes ses tribus•.
Votre frère l'emporte, et Phèdre a le dessus.

HIPPOLYTE

725 Phèdre?

---

708 *m'envie :* me refuse.

709 *serait trempée :* le conditionnel s'explique par l'ellipse : « s'il te semble que ta main serait. »

711 *donne :* Phèdre arrache l'épée d'Hippolyte.

718 *horreur :* ce mot, fréquent lui aussi dans la tragédie, évoque un sentiment physique et moral de répulsion, qui fait « se hérisser » les cheveux sur la tête. L'adjectif « horrible » du vers 720 a la même résonance.

723 *tribus :* les dix tribus d'Athènes ont donné à Phèdre la régence.

THÉRAMÈNE

Un héraut chargé des volontés d'Athènes
De l'État en ses mains vient remettre les rênes.
Son fils est roi, Seigneur.

HIPPOLYTE

Dieux, qui la connaissez,
Est-ce donc sa vertu que vous récompensez?

THÉRAMÈNE

Cependant un bruit sourd veut que le Roi respire.
730 On prétend que Thésée a paru dans l'Épire.
Mais moi qui l'y cherchai, Seigneur, je sais trop bien...

HIPPOLYTE

N'importe, écoutons tout, et ne négligeons rien.
Examinons ce bruit, remontons à sa source.
S'il ne mérite pas d'interrompre ma course•,
735 Partons; et quelque prix qu'il en puisse coûter,
Mettons le sceptre aux mains dignes de le porter•.

---

734 *ma course :* mon départ.
736 *mains dignes de le porter :* celles d'Aricie (cf. v. 507-508).

QUESTIONS en vue de l'explication de la scène 6 :

1 *Pourquoi Hippolyte ne dit-il rien à Théramène?*

2 *Quel effet produisent sur lui les nouvelles apportées par Théramène?*

QUESTIONS d'ensemble sur l'acte II :

1 *La lenteur et l'accélération dans le mouvement de l'acte.*

2 *La symétrie des scènes :*
a) *les deux déclarations (sc. 2 et 5),*
b) *les scènes 4 et 6.*

3 *L'importance de Thésée.*

I. **Une ouverture** (scène 1) qui, par une troisième scène d'aveu, *prolonge l'exposition :* en effet, comme dans l'acte I, une confession, un amour coupable, le même obstacle : Thésée.

Mais nous savons qu'Hippolyte aime Aricie,
que Thésée est mort,
et qu'Hippolyte a décidé de partir.

II. **Conséquences du projet d'Hippolyte :**

- Hippolyte avant son départ n'a pu s'empêcher de déclarer son amour à Aricie (scène 2) :

  Je vois que la raison cède à la violence (v. 525)
  Aricie agrée cet amour :

  le bonheur est donc possible (scène 3)

- Naturellement Phèdre n'a pu s'empêcher à son tour de déclarer sa passion à Hippolyte horrifié (scène 5) :

  le bonheur est-il encore possible pour les jeunes gens ?

III. **Deux coups de théâtre :**

- A la mort de Thésée, Athènes s'est déclarée pour Phèdre (scène 6).

- *Cependant un bruit sourd veut que le roi respire* (vers 729).

IV. **Que vont faire les personnages ?**

- *Anéantissement de Phèdre :* prisonnière de sa honte, vaincue, Phèdre semble éliminée.

- *Exaltation d'Hippolyte :* il est décidé à partir pour Athènes afin de mettre Aricie sur le trône, *quelque prix qu'il en puisse coûter* (vers 735).

Mais deux menaces :

- Hippolyte est-il aussi libre qu'il le croit ? Le lien « horrible » qui, malgré lui, l'unit désormais à Phèdre, peut-il être rompu ?

- Cependant sur Phèdre, Hippolyte, Aricie, plane la menace d'un retour possible du Roi.

ACTE III

SCÈNE PREMIÈRE : PHÈDRE, ŒNONE

PHÈDRE

Ah! que l'on porte ailleurs les honneurs• qu'on m'envoie•.
Importune•, peux-tu souhaiter qu'on me voie?
De quoi viens-tu flatter• mon esprit désolé?
740 Cache-moi bien plutôt : je n'ai que trop parlé.
Mes fureurs• au dehors ont osé se répandre.
J'ai dit ce que jamais on ne devait• entendre.
Ciel! comme il m'écoutait! Par combien de détours
L'insensible a longtemps éludé• mes discours•!
745 Comme il ne respirait• qu'une retraite prompte!
Et combien sa rougeur a redoublé ma honte!
Pourquoi détournais-tu• mon funeste• dessein?
Hélas! quand son épée• allait chercher mon sein,
A-t-il pâli pour moi? me l'a-t-il arrachée?
750 Il suffit que ma main l'ait une fois touchée,
Je l'ai rendue horrible à ses yeux inhumains;
Et ce fer malheureux profanerait ses mains.

---

737 *les honneurs :* les marques d'honneur. Ici, les attributs royaux.
qu'on m'envoie : qu'Athènes envoie à la mère de son nouveau roi.
738 *importune :* cf. le v. 159 : *Quelle importune main....*
739 *flatter :* essayer de calmer et d'abuser.
741 *fureurs :* ma folle passion. Cf. le vers 259 : *De l'amour, j'ai toutes les fureurs.*
742 *devait :* imparfait dans le sens du conditionnel (aurait dû), comme en latin.
744 *éludé :* cherché à se jouer de, évité.
discours : paroles.
745 *respirait :* désirait ardemment.
747 *détournais-tu :* construction hardie pour « me détournais-tu de ».
funeste dessein : dessein de me tuer.
748 *son épée :* dirigée par ma main.

ŒNONE

Ainsi, dans vos malheurs ne songeant qu'à vous plaindre,
Vous nourrissez un feu qu'il vous faudrait éteindre.
755 Ne vaudrait-il pas mieux, digne sang de Minos•,
Dans de plus nobles soins• chercher votre repos,
Contre un ingrat qui plaît recourir à la fuite,
Régner, et de l'État embrasser• la conduite?

PHÈDRE

Moi régner! Moi ranger un État sous ma loi,
760 Quand ma faible raison ne règne plus sur moi!
Lorsque j'ai de mes sens abandonné l'empire!
Quand sous un joug honteux à peine je respire!
Quand je me meurs!

ŒNONE

Fuyez.

PHÈDRE

Je ne le• puis quitter.

ŒNONE

Vous l'osâtes bannir•, vous n'osez l'éviter?

PHÈDRE

765 Il n'est plus temps. Il sait mes ardeurs insensées.
De l'austère• pudeur les bornes sont passées.
J'ai déclaré ma honte aux yeux de mon vainqueur,
Et l'espoir, malgré moi, s'est glissé dans mon cœur.
Toi-même, rappelant ma force défaillante,
770 Et mon âme• déjà sur mes lèvres errante•,

---

755 *sang de Minos :* fille de Minos (roi célèbre pour son équité).

756 *soins :* occupations.

758 *embrasser :* s'attacher à.

763 *le :* le pronom personnel complément est toujours placé ainsi au XVIIe siècle (cf. v. 764 : *Vous l'osâtes bannir ;* v. 771 : *Tu m'as su ranimer*).

764 *bannir :* allusion au vers 40 : ... *Votre exil d'abord signala son crédit.* Noter l'antéposition classique du complément d'objet par rapport au groupe verbal comportant un verbe principal suivi d'un infinitif.

766 *austère :* intransigeante. Caractère en quelque sorte traditionnel de l'épithète.

770 *âme :* souffle de vie.

errante : accord fréquent du participe présent au XVIIe siècle (cf. le v. 395 et 695).

Par tes conseils flatteurs•, tu m'as su ranimer.
Tu m'as fait entrevoir que je pouvais l'aimer.

ŒNONE

Hélas! de vos malheurs innocente ou coupable•,
De quoi pour vous sauver n'étais-je point capable?
775 Mais si jamais l'offense irrita vos esprits•,
Pouvez-vous d'un superbe• oublier les mépris?
Avec quels yeux cruels sa rigueur obstinée
Vous laissait à ses pieds peu s'en faut prosternée!
Que son farouche orgueil le rendait odieux!
780 Que• Phèdre en ce moment n'avait-elle mes yeux!

PHÈDRE

Œnone, il peut quitter cet orgueil qui te blesse.
Nourri• dans les forêts, il en a la rudesse.
Hippolyte, endurci par de sauvages lois•,
Entend parler d'amour pour la première fois.
785 Peut-être sa surprise a causé son silence;
Et nos plaintes peut-être ont trop de violence.

ŒNONE

Songez qu'une barbare en son sein l'a formé.

PHÈDRE

Quoique Scythe et barbare, elle a pourtant aimé.

ŒNONE

Il a pour tout le sexe• une haine fatale•.

---

771 *flatteurs :* trompeurs.
773 *innocente ou coupable :* adjectifs apposés à « vous » du vers suivant.
775 *vos esprits :* si jamais vous avez pu être blessée par une offense. Pour « esprits » voir la note du vers 366.
776 *superbe :* orgueilleux.
780 *que :* pourquoi.
782 *nourri :* élevé (sens latin).
783 *lois :* règles de vie.
789 *le sexe :* le sexe féminin.
fatale : voulue par le destin, mais aussi qui apporte la mort, mortelle.

PHÈDRE

790 Je ne me verrai point préférer de rivale•.
Enfin tous tes conseils ne sont plus de saison.
Sers ma fureur•, Œnone, et non point ma raison•.
Il oppose à l'amour un cœur inaccessible :
Cherchons pour l'attaquer quelque endroit plus sensible.
795 Les charmes d'un empire ont paru le toucher;
Athènes l'attirait; il n'a pu s'en cacher•;
Déjà de ses vaisseaux la pointe était tournée•,
Et la voile flottait aux vents abandonnée.
Va trouver de ma part ce jeune ambitieux•,
800 Œnone; fais briller la couronne à ses yeux,
Qu'il mette sur son front le sacré• diadème;
Je ne veux que l'honneur de l'attacher moi-même.
Cédons-lui ce pouvoir que je ne puis garder.
Il instruira mon fils dans l'art de commander :
805 Peut-être il voudra bien lui tenir lieu de père.
Je mets sous son pouvoir et le fils et la mère.
Pour le fléchir enfin tente tous les moyens :
Tes discours trouveront plus d'accès que les miens.

---

790 *rivale :* Racine se souvient de Sénèque, *Phèdre*, v. 243 (La nourrice : *Il fuit tout le sexe.* — Phèdre : *Je n'ai donc point à craindre de rivale*) mais prépare en même temps la jalousie de Phèdre dans l'acte IV.

792 *fureur :* vers où s'exprime admirablement le sens de « folie » par opposition à la « raison ».
raison : écho des vers d'*Andromaque* (III, v. 711-712) : *Non, tes conseils ne sont plus de saison, | Pylade, je suis las d'écouter la raison.*

795 *charmes :* attrait magique du pouvoir.

796 *il n'a pu s'en cacher :* dès le vers 332 (*Déjà même Hippolyte est tout prêt à partir*), Phèdre est au courant et c'est dans cet état d'esprit qu'elle l'a abordé (v. 584 : *On dit qu'un prompt départ vous éloigne de nous*) mais il n'en a plus été question dans la suite.

797 *tournée :* vers Athènes.

799 *ce jeune ambitieux :* si Phèdre n'était beaucoup plus âgée qu'Hippolyte, parlerait-elle ainsi ?

801 *sacré diadème :* au XVIIe siècle, l'adjectif précède très souvent le nom.

Presse, pleure, gémis; plains-lui Phèdre mourante;
810 Ne rougis• point de prendre une voix suppliante•.
Je t'avouerai de tout•; je n'espère qu'en toi.
Va : j'attends ton retour pour disposer de moi•.

---

810 *ne rougis point :* n'aie pas honte.
suppliante : souvenir de l'*Enéide* (IV, 424) où Didon dit à sa sœur Anna : *Va, ma sœur, parle en suppliante à ce fier étranger*. Du reste, la tirade évoque Sénèque :
Reçois le sceptre qui me fut confié et fais de moi ton esclave; c'est à toi qu'il convient de régner et à moi d'obéir; à toi de m'accueillir dans ton sein protecteur en suppliante et en esclave. (*Phèdre*, v. 617 sq.)
811 *je t'avouerai de tout :* je reconnaîtrai que tu as tout fait en mon nom.
812 *pour disposer de moi :* pour me décider à vivre ou à mourir.

QUESTIONS en vue de l'explication de la scène 1 :

I. *Quelle est la valeur de l'entracte?*

II. *Noter la composition de la scène du point de vue du rythme.*

III. *Le rôle d'Œnone :*

1 *à quels mobiles fait-elle appel?*

2 *n'est-elle pas à son tour une victime?*

3 *quel rôle lui fait jouer Phèdre?*

IV. *La psychologie de la Reine :*

1 *comment voit-elle Hippolyte?*

2 *comment abdique-t-elle devant sa passion?*

3 *comment utilise-t-elle sa volonté?*

SCÈNE II : PHÈDRE, *seule*

O toi, qui vois la honte où je suis descendue,
Implacable Vénus, suis-je assez confondue•?
815 Tu ne saurais plus loin pousser ta cruauté.
Ton triomphe est parfait•; tous tes traits ont porté.
Cruelle, si tu veux une gloire nouvelle,
Attaque un ennemi qui te soit plus rebelle.
Hippolyte te fuit; et bravant ton courroux,
820 Jamais à tes autels n'a fléchi les genoux.
Ton nom semble offenser ses superbes• oreilles.
Déesse, venge-toi : nos causes sont pareilles.
Qu'il aime.... Mais déjà tu reviens sur tes pas.
Œnone? On• me déteste, on ne t'écoute pas.

SCÈNE III : PHÈDRE, ŒNONE

ŒNONE

825 Il faut d'un vain• amour étouffer la pensée,
Madame. Rappelez votre vertu passée :
Le Roi, qu'on a cru mort, va paraître à vos yeux;

---

814 *confondue* : humiliée.
816 *parfait* : achevé.
821 *superbes* : orgueilleuses.
824 *on* : emploi de l'indéfini pour désigner Hippolyte. La même forme sera employée par Phèdre, mais cette fois, pour désigner Œnone : *Quels conseils ose-t-on me donner?* (v. 1307).
825 *vain* : inutile, car impossible.

QUESTIONS en vue de l'explication de la scène 2 :

I. *Montrer que ce monologue est nécessaire :*

1 *du point de vue de la psychologie,*

2 *du point de vue de l'action.*

II. *Montrer le caractère dramatique de cette prière :*

1 *dû à la netteté et à la rapidité du mouvement,*

2 *dû au pathétique de la situation.*

Thésée est arrivé, Thésée est en ces lieux.
Le peuple, pour le voir, court et se précipite.
830 Je sortais par votre ordre, et cherchais Hippolyte,
Lorsque jusques au ciel mille cris élancés•....

PHÈDRE

Mon époux est vivant, Œnone, c'est assez.
J'ai fait l'indigne aveu d'un amour qui l'outrage;
Il vit : je ne veux pas en savoir davantage.

ŒNONE

835 Quoi?

PHÈDRE

Je te l'ai prédit; mais tu n'as pas voulu.
Sur mes justes remords tes pleurs ont prévalu.
Je mourais• ce matin digne d'être pleurée;
J'ai suivi tes conseils, je meurs déshonorée.

ŒNONE

Vous mourez?

PHÈDRE

Juste ciel! qu'ai-je fait aujourd'hui?
840 Mon époux va paraître, et son fils avec lui.
Je verrai le témoin de ma flamme adultère
Observer de quel front j'ose aborder son père•,
Le cœur gros de soupirs qu'il n'a point écoutés,
L'œil humide de pleurs par l'ingrat rebutés.
845 Penses-tu que, sensible à l'honneur de Thésée,
Il lui cache l'ardeur dont je suis embrasée?
Laissera-t-il trahir et son père et son roi?
Pourra-t-il contenir l'horreur qu'il a pour moi?
Il se tairait en vain. Je sais mes perfidies•,

---

831 *élancés :* lancés.

837 *mourais :* je serais morte : cette valeur d'irréel de l'imparfait de l'indicatif est un latinisme.

842 *aborder son père :* chez Euripide, les mots d'Hippolyte à la nourrice sont une menace : *Venu avec mon père, j'observerai de quel front vous l'aborderez, toi et ta maîtresse* (*Hippolyte*, v. 661-2).

849 *perfidies :* manquements à la foi. En ce sens, au pluriel au XVIIe siècle.

850 Œnone, et ne suis point de ces femmes hardies
Qui goûtant dans le crime une tranquille paix,
Ont su se faire un front qui ne rougit jamais•.
Je connais mes fureurs, je les rappelle toutes•.
Il me semble déjà que ces murs, que ces voûtes•
855 Vont prendre la parole, et prêts à m'accuser,
Attendent mon époux pour le désabuser.
Mourons. De tant d'horreurs qu'un trépas me délivre.
Est-ce un malheur si grand que de cesser de vivre•?
La mort aux malheureux ne cause point d'effroi.
860 Je ne crains que le nom• que je laisse après moi.
Pour mes tristes• enfants• quel affreux héritage!
Le sang de Jupiter doit enfler• leur courage;
Mais quelque juste orgueil qu'inspire un sang si beau•,
Le crime d'une mère est un pesant fardeau.
865 Je tremble qu'un discours, hélas! trop véritable,
Un jour ne leur reproche une mère coupable.
Je tremble qu'opprimés• de ce poids odieux
L'un ni l'autre jamais n'ose• lever les yeux.

---

852 *qui ne rougit jamais :* on rapporte que la Champmeslé hésitait à prononcer ces vers qui auraient pu trouver une application dans le public. Ces vers pourtant ne sont qu'une transposition d'Euripide (v. 413-425).

853 *je les rappelle toutes :* à mon esprit.

854 *voûtes :* précieuse indication scénique. Mais anachronisme, car l'architecture grecque ne connaissait pas la voûte.

858 *vivre :* encore un souvenir de Virgile. C'est le mot de Turnus : *Est-ce un si grand malheur que de mourir?* (XII, v. 646.)

860 *nom :* renom.

861 *tristes :* malheureux.
enfants : Acamas et Démophon.

862 *enfler :* augmenter.

863 *un sang si beau :* par son aïeul Minos, Phèdre descend aussi de Jupiter. L'expression fait écho à celle du vers 212 : *Commande au plus beau sang de la Grèce et des Dieux.*

867 *opprimés :* accablés (sens latin).

868 *n'ose :* le XVIIe siècle employait après « ni l'un ni l'autre » tantôt le singulier, tantôt le pluriel.

ŒNONE

Il n'en faut point douter, je les plains l'un et l'autre;
870 Jamais crainte ne fut plus juste• que la vôtre.
Mais à de tels affronts pourquoi les exposer?
Pourquoi contre vous-même allez-vous déposer•?
C'en est fait : on dira que Phèdre, trop coupable,
De son époux trahi fuit l'aspect redoutable.
875 Hippolyte est heureux qu'aux dépens de vos jours
Vous-même en expirant appuyez• ses discours.
A votre accusateur que pourrai-je répondre?

---

870 *juste :* justifiée.
872 *déposer :* faire une déposition en justice.
876 *appuyez :* donnez de la force à. L'indicatif, après un verbe de sentiment, insiste sur la réalité du fait. Une variante donne toutefois le subjonctif.

QUESTIONS en vue de l'explication de la scène 3 :

I. Le coup de théâtre du retour de Thésée :

1 *comment a-t-il été préparé?*

2 *pourquoi a-t-il lieu en ce moment?*

3 *quel effet produit-il?*

II. L'affolement de Phèdre :

1 *ses réactions instinctives,*

2 *le développement de son angoisse :*
a) *face à la situation,*
b) *face à elle-même,*
c) *face à la mort.*

III. Le rôle d'Œnone :

1 *les ressorts de son action,*

2 *son habileté :*
a) *sa complaisance diabolique,*
b) *la force de ses arguments.*

IV. La capitulation de Phèdre :

1 *comment a-t-elle été amenée?*

2 *faire la part du trouble et de la mauvaise foi.*

Je serai devant lui trop facile à confondre.
De son triomphe affreux je le verrai jouir,
880 Et conter votre honte à qui voudra l'ouïr.
Ah! que plutôt du ciel la flamme me dévore!
Mais ne me trompez point, vous est-il cher encore?
De quel œil voyez-vous ce prince audacieux?

PHÈDRE

Je le vois comme un monstre• effroyable à mes yeux.

ŒNONE

885 Pourquoi donc lui céder une victoire entière?
Vous le craignez. Osez l'accuser la première
Du crime dont il peut vous charger aujourd'hui.
Qui• vous démentira? Tout parle contre lui :
Son épée en vos mains heureusement laissée•,
890 Votre trouble présent, votre douleur• passée,
Son père par vos cris dès longtemps prévenu•,
Et déjà son exil par vous-même obtenu•.

PHÈDRE

Moi, que j'ose opprimer et noircir l'innocence?

ŒNONE

Mon zèle n'a besoin que de votre silence.
895 Tremblante comme vous, j'en• sens quelque remords.
Vous me verriez plus prompte• affronter mille morts.
Mais puisque je vous perds sans ce triste• remède,
Votre vie est pour moi d'un prix à qui• tout cède.

---

884 *monstre :* dans cet univers monstrueux, Hippolyte est à son tour qualifié ainsi par Phèdre.
888 *qui :* qu'est-ce qui (neutre).
889 *laissée :* allusion à la péripétie qui termine la scène 5 de l'acte II.
890 *douleur :* irritation de Phèdre à l'égard d'Hippolyte.
891 *prévenu :* contre Hippolyte.
892 *obtenu :* allusion à l'attitude de Phèdre dans le passé (v. 291-296).
895 *en :* d' « opprimer et noircir l'innocence ».
896 *prompte :* adjectif employé à la place de l'adverbe, comme souvent dans la poésie latine.
897 *triste :* pénible.
898 *à qui :* « qui » au XVIIe siècle peut se rapporter à un nom de chose.

Je parlerai. Thésée, aigri• par mes avis•,
900 Bornera sa vengeance à l'exil de son fils.
Un père en punissant, Madame, est toujours père :
Un supplice léger suffit à sa colère.
Mais le sang innocent dût-il être versé,
Que ne demande point votre honneur menacé?
905 C'est un trésor trop cher pour oser le commettre•.
Quelque loi qu'il vous dicte, il faut vous y soumettre,
Madame; et pour sauver notre honneur combattu•,
Il faut immoler tout, et même la vertu.
On vient; je vois Thésée.

PHÈDRE

Ah! je vois Hippolyte;
910 Dans ses yeux insolents je vois ma perte écrite.
Fais ce que tu voudras, je m'abandonne à toi.
Dans le trouble• où je suis, je ne puis rien pour moi.

SCÈNE IV : THÉSÉE, HIPPOLYTE, PHÈDRE, ŒNONE, THÉRAMÈNE

THÉSÉE

La fortune à mes vœux cesse d'être opposée,
Madame; et dans vos bras met....

PHÈDRE

Arrêtez, Thésée,
915 Et ne profanez point des transports si charmants•.
Je ne mérite plus ces doux empressements•.
Vous êtes offensé. La fortune jalouse

---

899 *aigri :* irrité.
mes avis : ce dont je l'aviserai.
905 *commettre :* compromettre.
907 *combattu :* en péril.
912 *trouble :* toute troublée qu'elle est, Phèdre a vite fait d'analyser la situation.
915 *transports si charmants :* manifestations de joie si pleines d'attrait.
916 *empressements :* marques de vive affection.

N'a pas en votre absence épargné votre épouse.
Indigne de vous plaire et de vous approcher,
920 Je ne dois désormais songer qu'à me cacher.

SCÈNE V : THÉSÉE, HIPPOLYTE, THÉRAMÈNE

THÉSÉE

Quel est l'étrange accueil qu'on fait à votre père,
Mon fils ?

HIPPOLYTE

Phèdre peut seule expliquer ce mystère.
Mais si mes vœux ardents vous• peuvent émouvoir,
Permettez-moi, Seigneur, de ne la plus revoir;
925 Souffrez que pour jamais le tremblant Hippolyte
Disparaisse des lieux que votre épouse habite.

THÉSÉE

Vous, mon fils, me quitter ?

HIPPOLYTE

Je ne la cherchais pas :
C'est vous qui sur ces bords conduisîtes ses pas•.
Vous daignâtes, Seigneur, aux rives de Trézène
930 Confier en partant Aricie et la Reine.
Je fus même chargé du soin de les garder.
Mais quels soins• désormais peuvent me retarder• ?

---

923 *vous :* le pronom personnel complément précède toujours au XVIIe siècle le verbe « pouvoir » suivi de l'infinitif.

928 *ses pas :* ce rôle du hasard, Phèdre l'avait déjà montré : *Par mon époux lui-même à Trézène amenée* (v. 302).

932 *soins :* obligations.
retarder : m'obliger à rester ici.

QUESTIONS en vue de l'explication de la scène 4 :

1 *Sur quel contraste dramatique est construite cette courte scène ?*

2 *Qu'y a-t-il d'inquiétant dans l'attitude de Phèdre à ce moment ?*

Assez dans les forêts mon oisive jeunesse
Sur de vils ennemis a montré son adresse.
935 Ne pourrai-je, en fuyant un indigne repos,
D'un sang plus glorieux teindre mes javelots ?
Vous n'aviez pas encore atteint l'âge où je touche,
Déjà• plus d'un tyran, plus d'un monstre• farouche
Avait de votre bras senti la pesanteur ;
940 Déjà, de l'insolence• heureux• persécuteur,
Vous aviez des deux mers• assuré• les rivages.
Le libre• voyageur ne craignait plus d'outrages ;
Hercule, respirant sur le bruit de vos coups•,
Déjà de son travail• se reposait sur vous.
945 Et moi, fils inconnu d'un si glorieux père,
Je suis même encor loin des traces de ma mère.
Souffrez que mon courage ose enfin s'occuper.
Souffrez, si quelque monstre• a pu vous échapper,
Que j'apporte à vos pieds sa dépouille honorable,
950 Ou que d'un beau trépas la mémoire durable,
Éternisant des jours si noblement finis,
Prouve à tout l'univers que j'étais votre fils.

---

938 *déjà :* juxtaposition (figure appelée asyndète) au lieu de la subordination attendue : que déjà.
monstre : brigand fabuleux. Allusion aux exploits de Thésée célébrés par Hippolyte (v. 79-81).

940 *insolence :* nom abstrait caractérisant l'attitude de ces monstres.
heureux : car Thésée a purgé la Grèce des fléaux qui la ravageaient. L'épithète fait antithèse avec « persécuteur ».

941 *des deux mers :* la mer Ionienne et la mer Égée (cf. v. 10).
assuré : rendu sûrs.

942 *libre :* devenu libre.

943 *respirant sur le bruit de vos coups :* reprenant haleine (car il pouvait désormais se reposer sur Thésée) devant la renommée de vos exploits. Hercule s'était alors, d'après Plutarque, retiré en Lydie auprès d'Omphale.

944 *travail :* allusion aux travaux d'Hercule.

948 *monstre :* il en reste un auquel on ne pense pas en ce moment et qui est, évidemment, Phèdre.

THÉSÉE

Que vois-je? Quelle horreur• dans ces lieux répandue
Fait fuir devant mes yeux ma famille éperdue?
955 Si je reviens si craint et si peu désiré,
O ciel, de ma prison pourquoi m'as-tu tiré?
Je n'avais qu'un ami. Son imprudente flamme
Du tyran de l'Épire allait ravir la femme•,
Je servais à regret ses desseins amoureux;
960 Mais le sort irrité nous aveuglait tous deux.
Le tyran m'a surpris sans défense et sans armes.
J'ai vu Pirithoüs, triste objet de mes larmes,
Livré par ce barbare à des monstres cruels•
Qu'il nourrissait du sang des malheureux mortels.
965 Moi-même, il m'enferma dans des cavernes sombres,
Lieux profonds, et voisins• de l'empire des ombres.
Les Dieux, après six mois, enfin m'ont regardé• :
J'ai su tromper les yeux de qui• j'étais gardé.
D'un perfide ennemi j'ai purgé• la nature;

---

953 *horreur :* on a déjà souvent rencontré ce mot avec sa valeur étymologique de « sensation qui fait se hérisser les cheveux ».
958 *femme :* cf. *Préface* de Racine (p. 26).
963 *monstres cruels :* le tyran fit dévorer Pirithoüs par Cerbère.
966 *voisins :* ce mot marque une certaine séparation entre le caractère légendaire d'un voyage de Thésée aux enfers et le caractère vraisemblable d'une expédition en Épire.
967 *m'ont regardé :* se sont intéressés à moi.
968 *de qui :* par lesquels. Les prépositions ont, au XVIIe siècle, un sens plus varié qu'aujourd'hui.
969 *purgé :* débarrassé.

QUESTIONS en vue de l'explication de la scène 5 :

I. L'atmosphère tragique :

1 *justifier la composition de la scène;*

2 *comment s'exprime l'inquiétude?*

II. Les personnages :

1 *apprécier la pudeur d'Hippolyte;*

2 *caractériser la grandeur tragique de Thésée.*

III. Préciser le caractère épique et la valeur symbolique des évocations.

970 A ses monstres lui-même a servi de pâture;
Et lorsque avec transport• je pense m'approcher
De tout ce que les Dieux m'ont laissé de plus cher•;
Que dis-je? Quand mon âme, à soi•-même rendue,
Vient se rassasier d'une si chère vue,
975 Je n'ai pour tout accueil que des frémissements• :
Tout fuit, tout se refuse à mes embrassements.
Et moi-même, éprouvant la terreur que j'inspire,
Je voudrais être encor dans les prisons d'Épire.
Parlez. Phèdre se plaint que je suis outragé.
980 Qui m'a trahi? Pourquoi ne suis-je pas vengé•?
La Grèce, à qui mon bras fut tant de fois utile,
A-t-elle au criminel accordé quelque asile?
Vous ne répondez point. Mon fils, mon propre fils
Est-il d'intelligence avec mes ennemis?
985 Entrons. C'est trop garder un doute qui m'accable.
Connaissons à la fois le crime et le coupable.
Que Phèdre explique enfin le trouble où je la voi•.

SCÈNE VI : HIPPOLYTE, THÉRAMÈNE

HIPPOLYTE

Où tendait ce discours• qui m'a glacé d'effroi?
Phèdre, toujours en proie à sa fureur extrême,
990 Veut-elle s'accuser et se perdre elle-même?
Dieu! que dira le Roi? Quel funeste• poison
L'amour a répandu sur toute sa maison!

---

971 *transport :* Thésée reprend les mots de Phèdre qui avaient salué son retour (v. 915).
972 *cher :* rime avec « m'approcher » selon la rime dite normande.
973 *soi-même :* même avec un sujet déterminé le XVIIe siècle peut employer le réfléchi.
975 *frémissements :* émotions craintives.
980 *vengé* : vers à l'adresse d'Hippolyte.
987 *voi :* forme étymologique employée pour la rime (cf. le v. 155).
988 *ce discours :* les paroles de Phèdre (v. 914-920).
991 *funeste :* mortel.

Moi-même, plein d'un feu que sa haine réprouve*,
Quel* il m'a vu jadis, et quel* il me retrouve!
995 De noirs pressentiments viennent m'épouvanter.
Mais l'innocence enfin n'a rien à redouter.
Allons, cherchons ailleurs par quelle heureuse adresse
Je pourrai de mon père émouvoir la tendresse,
Et lui dire un amour qu'il peut vouloir troubler,
1000 Mais que tout son pouvoir ne saurait ébranler.

---

993 *réprouve :* Hippolyte a la hantise que son amour pour Aricie ne le condamne, aux yeux de son père, à être un « réprouvé ». La même expression a déjà été employée au vers 105.

994 *quel... quel :* les deux adjectifs exclamatifs s'opposent : « combien estimable » et « combien méprisable ».

QUESTIONS en vue de l'explication de la scène 6 :

I. L'effroi d'Hippolyte :

1 *D'où vient-il?*

2 *Comment se manifeste-t-il?*

II. La décision d'Hippolyte :

1 *Quel est le double sentiment qui l'anime?*

2 *Quelle est la portée de son choix?*

QUESTIONS d'ensemble sur l'acte III :

I. L'accélération dramatique :

1 *Qu'a de dramatique le retour de Thésée à ce moment?*

2 *L'interférence du présent, du passé et de l'avenir.*

II. Le destin de Phèdre et d'Hippolyte :

1 *Quelle attitude prennent-ils dans la situation où ils se trouvent?*

2 *Quel est la portée de leur décision?*

I. Un acte remarquable par son accélération dramatique

où éclate le *deuxième coup de théâtre* de la tragédie : le retour de Thésée : *Thésée est arrivé, Thésée est en ces lieux* (v. 828),

ce qui provoque l'*affolement* des personnages :

Phèdre s'enfuit : *Je ne dois désormais songer qu'à me cacher* (v. 920),
Hippolyte demande à partir :

> *Souffrez que pour jamais le tremblant Hippolyte*
> *Disparaisse des lieux que votre épouse habite* (v. 925-6).

II. Un acte décisif. Devant la passion fatale,

- Phèdre est *prête à tout* : *Sers ma fureur, Œnone, et non point ma raison* (v. 792).

- Hippolyte est *décidé* à sauver son amour que tout le pouvoir de son père *ne saurait ébranler* (v. 1000)
  et à commencer par tenter d'*émouvoir sa tendresse* (v. 998).

III. Un acte menaçant

- *L'accueil* de Phèdre : elle dit la vérité à Thésée : *Vous êtes offensé* (v. 917), mais en termes généraux, en invoquant la fortune (v. 917-8) et surtout elle a donné pleins pouvoirs à Œnone : *Fais ce que tu voudras, je m'abandonne à toi* (v. 911).

- *La décision* de Thésée : Thésée va mener l'enquête : *Connaissons à la fois le crime et le coupable* (v. 986)
  mais ce sera tout de suite, sous le coup de la rage et de l'aveuglement :
  Entrons. C'est trop garder un doute qui m'accable (v. 985).

- *D'où l'effroi* d'Hippolyte (sc. 6) devant Phèdre, devant lui-même, devant son père :
  De noirs pressentiments viennent m'épouvanter (v. 995), mais, malgré tout, *confiance* dans son innocence et dans son amour (v. 996-8).

C'est dans une telle atmosphère que va s'ouvrir l'inévitable procès du quatrième acte où tout va se jouer.

ACTE IV

SCÈNE PREMIÈRE : THÉSÉE, ŒNONE

THÉSÉE

Ah! qu'est-ce que j'entends•? Un traître, un téméraire
Préparait cet outrage à l'honneur de son père?
Avec quelle rigueur, destin, tu me poursuis!
Je ne sais où je vais, je ne sais où je suis.
1005 O tendresse! ô bonté trop mal récompensée!
Projet audacieux! détestable pensée!
Pour parvenir au but de ses noires• amours,
L'insolent de la force empruntait le secours.
J'ai reconnu le fer, instrument de sa rage•,
1010 Ce fer dont je l'armai pour un plus noble usage.
Tous les liens du sang• n'ont pu le retenir?
Et Phèdre différait à le faire punir?
Le silence de Phèdre épargnait le coupable?

ŒNONE

Phèdre épargnait plutôt un père déplorable•.
1015 Honteuse du dessein d'un amant furieux•
Et du feu criminel qu'il a pris dans ses yeux•,
Phèdre mourait, Seigneur, et sa main• meurtrière

1001 *j'entends :* Racine a utilisé le temps de l'entracte pour la dénonciation d'Œnone.

1007 *noires :* criminelles. La même image a été employée par Phèdre au vers 310 : *une flamme si noire.*

1009 *rage :* passion furieuse.

1011 *sang :* car Phèdre est la femme du père d'Hippolyte. Souvenir d'Euripide : *Voyez-le, lui, qui, né de mon sang, a déshonoré ma couche* (*Hippolyte*, v. 948).

1014 *déplorable :* qui mérite de la compassion (cf. v. 529).

1015 *furieux :* en proie à une folle passion (cf. « fureur »).

1016 *qu'il a pris dans ses yeux :* l'amour criminel qui s'est emparé d'Hippolyte à la vue (*les yeux*) de Phèdre. Le mot *yeux* est repris au vers 1018 pour signaler l'innocence de Phèdre et mettre en relief l'opposition entre *feu criminel* et *innocente lumière.*

1017 *sa main :* la main de Phèdre.

Éteignait de ses yeux l'innocente lumière.
J'ai vu lever le bras, j'ai couru la sauver.
1020 Moi seule à votre amour j'ai su la conserver;
Et plaignant à la fois son trouble et vos alarmes,
J'ai servi, malgré moi, d'interprète à ses larmes•.

THÉSÉE

Le perfide! Il n'a pu s'empêcher de pâlir.
De crainte, en m'abordant•, je l'ai vu tressaillir.
1025 Je me suis étonné• de son peu d'allégresse;
Ses froids embrassements ont glacé ma tendresse.
Mais ce coupable amour dont il est dévoré
Dans Athènes déjà s'était-il déclaré?

ŒNONE

Seigneur, souvenez-vous des plaintes de la Reine.
1030 Un amour criminel causa toute sa haine.

THÉSÉE

Et ce feu dans Trézène a donc recommencé?

ŒNONE

Je vous ai dit, Seigneur, tout ce qui s'est passé.
C'est trop laisser la Reine à sa douleur mortelle;
Souffrez que je vous quitte et me range• auprès d'elle•.

1022 *larmes :* Œnone reprend, en partie, la scène 5 de l'acte I.
1024 *en m'abordant :* quand il m'a abordé. Construction possible au XVIIe siècle.
1025 *étonné :* au sens fort de « frappé de stupeur ».
1034 *me range :* me place.
auprès d'elle : Racine a supprimé, à l'impression, après la scène 1, un monologue de Thésée.

QUESTIONS en vue de l'explication de la scène 1 :

1 *Quelle est la valeur de l'entracte?*

2 *Le terrible jeu d'Œnone :*

a) montrer son adresse,

b) où sent-on la gêne?

SCÈNE II : THÉSÉE, HIPPOLYTE

THÉSÉE

1035 Ah! le voici. Grands Dieux! à ce noble maintien
Quel œil ne serait pas trompé comme le mien?
Faut-il que sur le front d'un profane• adultère
Brille de la vertu le sacré caractère•?
Et ne devrait-on pas à des signes certains
1040 Reconnaître le cœur des perfides humains•?

HIPPOLYTE

Puis-je vous demander quel funeste• nuage,
Seigneur, a pu troubler votre auguste visage?
N'osez-vous confier ce secret à ma foi•?

THÉSÉE

Perfide, oses-tu bien te montrer devant moi?
1045 Monstre•, qu'a trop longtemps épargné le tonnerre,
Reste impur des brigands dont j'ai purgé la terre!
Après que le transport d'un amour plein d'horreur
Jusqu'au lit de ton père a porté sa fureur•,
Tu m'oses présenter une tête• ennemie,
1050 Tu parais dans des lieux pleins de ton infamie,
Et ne vas pas chercher, sous un ciel inconnu,

1037 *profane adultère :* adultère qui a souillé (profané) le caractère sacré de la vertu.
1038 *caractère :* signe, marque.
1040 *humains :* ces vers sont une transposition d'Euripide et de Sénèque : *Ah! il devrait y avoir pour les mortels un signe de l'amitié, un moyen de lire dans les cœurs et de savoir qui est un ami sincère, et qui ne l'est pas* (Euripide, *Hippolyte*, v. 925-927). — *O vie trompeuse qui caches tes penchants et déguises tes turpitudes sous un masque de vertu* (Sénèque, *Phèdre*, v. 918-919).
1041 *funeste :* Thésée est pâle comme la mort. Rien de plus inquiétant que son aspect.
1043 *foi :* fidélité. Celui qui ne la respecte pas est un « perfide ».
1045 *monstre :* Thésée met son fils en tête des « monstres » qu'il a combattus.
1048 *horreur* et *fureur :* deux mots, au sens fort, unis à la rime (comme ils le seront à l'intérieur du vers 1228).
1049 *tête :* personne (cf. le vers 6).

Des pays où mon nom ne soit point parvenu!
Fuis, traître. Ne viens point braver ici ma haine
Et tenter un courroux que je retiens à peine.
1055 C'est bien assez pour moi de l'opprobre éternel
D'avoir pu mettre au jour un fils si criminel,
Sans que ta mort encor, honteuse à ma mémoire•,
De mes nobles travaux• vienne souiller la gloire,
Fuis; et si tu ne veux qu'un châtiment soudain•
1060 T'ajoute aux scélérats qu'a punis cette• main,
Prends garde que jamais l'astre qui nous éclaire
Ne te voie en ces lieux mettre un pied téméraire.
Fuis, dis-je; et sans retour précipitant tes pas,
De ton horrible• aspect purge• tous mes États.
1065 Et toi, Neptune•, et toi, si jadis mon courage
D'infâmes assassins nettoya ton rivage,
Souviens-toi que pour prix de mes efforts heureux•,
Tu promis d'exaucer le premier de mes vœux.
Dans les longues rigueurs d'une prison cruelle
1070 Je n'ai point imploré ta puissance immortelle.
Avare du secours que j'attends de tes soins,
Mes vœux t'ont réservé pour de plus grands besoins :
Je t'implore aujourd'hui. Venge un malheureux père•.

1057 *honteuse à ma mémoire :* restant attachée comme une honte au souvenir de mon nom.

1058 *travaux :* exploits.

1059 *soudain :* s'abattant sur toi à l'instant même.

1060 *cette :* ma.

1064 *horrible :* cf. « horreur » (v. 1047).
purge : débarrasse (cf. v. 969 et 1046).

1065 *Neptune :* Thésée passait aussi pour être le fils de Poséidon-Neptune.

1067 *heureux :* victorieux et bienfaisants pour la Grèce (cf. *heureux persécuteur*, v. 940).

1073 *père :* toute cette tirade est un souvenir d'Euripide et de Sénèque : *O vénérable Poséidon, accomplis contre mon fils un des trois vœux que tu m'as un jour promis d'exaucer, qu'il ne survive pas à cette journée* (Euripide, *Hippolyte*, v. 887-890). — *Au milieu des profondeurs du Tartare et de l'horrible royaume de Pluton, j'ai gardé intact ce vœu, mais à présent je te demande d'accomplir fidèlement ta promesse* (Sénèque, *Phèdre*, v. 942-50).

J'abandonne ce traître à toute ta colère;
1075 Étouffe dans son sang• ses désirs effrontés :
Thésée à tes fureurs• connaîtra• tes bontés.

HIPPOLYTE

D'un amour criminel Phèdre accuse Hippolyte!
Un tel excès d'horreur• rend mon âme interdite•,
Tant de coups imprévus m'accablent à la fois,
1080 Qu'ils m'ôtent la parole et m'étouffent la voix.

THÉSÉE

Traître, tu prétendais qu'en un lâche silence
Phèdre ensevelirait ta brutale insolence.
Il fallait, en fuyant, ne pas abandonner
Le fer qui dans ses mains aide à te condamner;
1085 Ou plutôt il fallait, comblant• ta perfidie,
Lui ravir tout d'un coup• la parole et la vie.

HIPPOLYTE

D'un mensonge si noir justement irrité,
Je devrais faire ici parler la vérité,
Seigneur; mais je supprime• un secret qui vous touche.
1090 Approuvez le respect qui me ferme la bouche;
Et sans vouloir vous-même augmenter vos ennuis•,
Examinez ma vie, et songez qui je suis.
Quelques crimes toujours précèdent les grands crimes.
Quiconque a pu franchir les bornes légitimes•
1095 Peut violer enfin• les droits les plus sacrés;
Ainsi que la vertu, le crime a ses degrés;

1075 *sang :* qui a profané les liens du *sang* mérite que son propre *sang* soit versé (cf. v. 903).
1076 *fureurs :* rage dans la vengeance.
connaîtra : reconnaîtra.
1078 *horreur :* encore ce mot au sens fort, accentué ici par le mot « excès ».
âme interdite : souffle coupé par la stupeur.
1085 *comblant :* mettant le comble à.
1086 *tout d'un coup :* d'un même coup.
1089 *supprime :* tais (latinisme).
1091 *ennuis :* tourments.
1094 *légitimes :* fixées par les lois.
1095 *enfin :* à la fin.

Et jamais on n'a vu la timide innocence
Passer subitement à l'extrême licence•.
Un jour seul ne fait point d'un mortel vertueux
1100 Un perfide assassin, un lâche incestueux•.
Élevé dans le sein d'une chaste héroïne,
Je n'ai point de son sang démenti l'origine•.
Pitthée•, estimé sage entre tous les humains,
Daigna m'instruire encore au sortir de ses mains•.
1105 Je ne veux point me peindre avec trop d'avantage•;
Mais si quelque vertu m'est tombée en partage,
Seigneur, je crois surtout avoir fait éclater•
La haine des forfaits qu'on ose m'imputer.
C'est par là qu'Hippolyte est connu dans la Grèce.
1110 J'ai poussé la vertu jusques à la rudesse.
On sait de mes chagrins• l'inflexible rigueur.
Le jour n'est pas plus pur que le fond de mon cœur•.
Et l'on veut qu'Hippolyte, épris d'un feu profane....

THÉSÉE

Oui, c'est ce même orgueil, lâche! qui te condamne.
1115 Je vois de tes froideurs le principe• odieux :
Phèdre seule charmait• tes impudiques yeux;
Et pour tout autre objet• ton âme indifférente
Dédaignait de brûler d'une flamme innocente.

1098 *licence* : dérèglement moral.
1100 *incestueux :* employé ici substantivement.
1102 *démenti l'origine :* fait des choses indignes de l'origine que je tiens du sang de ma mère.
1103 *Pitthée :* fils de Pélops et d'Hippodamie, roi de Trézène, il passait pour l'un des plus anciens sages de la Grèce : il maria sa fille Ethra avec Égée, roi d'Athènes, éleva Thésée, son petit-fils, et Hippolyte, son arrière-petit-fils.
1104 *de ses mains :* des mains d'Antiope, cette « chaste héroïne ».
1105 *avec trop d'avantage :* en me faisant trop d'honneur.
1107 *fait éclater :* manifesté d'une façon éclatante.
1111 *mes chagrins :* mon austérité.
1112 *mon cœur :* tout ce vers est un alexandrin monosyllabique.
1115 *principe :* raison d'être.
1116 *charmait :* attirait comme par une incantation magique.
1117 *objet :* femme (cf. v. 636).

HIPPOLYTE

Non, mon père, ce• cœur, c'est trop vous le celer•,
1120 N'a point d'un chaste amour dédaigné de brûler.
Je confesse à vos pieds• ma véritable offense• :
J'aime; j'aime, il est vrai, malgré votre défense,
Aricie à ses lois tient mes vœux asservis•;
La fille de Pallante a vaincu votre fils.
1125 Je l'adore, et mon âme, à vos ordres rebelle,
Ne peut ni soupirer ni brûler que pour elle.

THÉSÉE

Tu l'aimes? ciel! Mais non, l'artifice est grossier.
Tu te feins criminel pour te justifier.

HIPPOLYTE

Seigneur, depuis six mois je l'évite, et je l'aime :
1130 Je venais en tremblant vous le dire à vous-même.
Hé quoi? de votre erreur rien ne vous• peut tirer?
Par quel affreux serment faut-il vous rassurer?
Que la terre, le ciel, que toute la nature....

THÉSÉE

Toujours les scélérats ont recours au parjure.
1135 Cesse, cesse, et m'• épargne un importun discours,
Si ta fausse vertu n'a point d'autre secours.

HIPPOLYTE

Elle vous paraît fausse et pleine d'artifice.
Phèdre au fond de son cœur me rend plus de justice.

THÉSÉE

Ah! que ton impudence excite mon courroux!

1119 *ce :* mon.
celer : cacher.

1121 *à vos pieds :* indication scénique de l'attitude du suppliant.
ma véritable offense : la véritable offense que je vous ai faite.

1123 *mes vœux asservis :* mon amour rendu esclave de ses lois.

1131 *vous :* le pronom personnel complément précédait normalement le verbe « pouvoir » suivi de l'infinitif,

1135 *m' :* survivance de l'ancien français où, après la conjonction « et », le pronom complément de l'impératif conservait sa place devant le verbe.

HIPPOLYTE

1140 Quel temps à mon exil, quel lieu prescrivez-vous?

THÉSÉE

Fusses-tu par delà les colonnes d'Alcide•,
Je me croirais encor trop voisin d'un perfide.

HIPPOLYTE

Chargé du crime affreux dont vous me soupçonnez,
Quels amis me plaindront, quand vous m'abandonnez?

THÉSÉE

1145 Va chercher des amis dont l'estime funeste•
Honore l'adultère, applaudisse à l'inceste•,
Des traîtres, des ingrats, sans honneur et sans loi,
Dignes de protéger un méchant• tel que toi•.

HIPPOLYTE

Vous me parlez toujours d'inceste et d'adultère?
1150 Je me tais. Cependant Phèdre sort d'une mère,
Phèdre est d'un sang•, Seigneur, vous le savez trop bien,
De toutes ces horreurs• plus rempli que le mien.

1141 *les colonnes d'Alcide :* le détroit de Gibraltar, point extrême des voyages d'Hercule (Alcide). Hippolyte : *Hélas! que vas-tu faire?... Tu me chasses de ce pays?* — Thésée : *Oui, et même si je le pouvais, au-delà du Pont et des bornes atlantiques, tellement je te hais* (Euripide, *Hippolyte*, v. 1051-4).

1145 *funeste :* qui porte malheur.

1146 *inceste :* sur le caractère incestueux de Phèdre, voir la *Notice* p. 20.

1148 *méchant :* au sens fort de criminel.
tel que toi. Hippolyte : *Malheureux! Où tourner mes pas? Quel hôte me recevra dans sa demeure, chargé d'une telle accusation?* — Thésée : *Celui qui se plaît à accueillir comme hôtes les séducteurs de femmes et les invite à vivre sous son toit* (Euripide, *Hippolyte*, v. 1068-9).

1151 *sang :* d'une famille. Le *sang* de Phèdre est chargé d'une terrible hérédité dont le *sang* d'Antiope n'est pas souillé (cf. v. 1102).

1152 *horreurs :* ces *horreurs* ont été suggérées par Phèdre elle-même au vers 250.

THÉSÉE

Quoi? ta rage à mes yeux perd toute retenue?
Pour la dernière fois, ôte-toi de ma vue :
1155 Sors, traître. N'attends pas qu'un père furieux
Te fasse avec opprobre• arracher de ces lieux.

1156 *avec opprobre :* d'une manière insultante pour toi, par la force.

QUESTIONS en vue de l'explication de la scène 2 :

I. L'arrivée d'Hippolyte :

1 *en quoi est-elle dramatique?*
2 *quelles sont les intentions du jeune homme?*
3 *quelle est son attitude à ce moment?*

II. Composition de la scène :

1 *comment sont préparés les récitatifs du père et du fils?*
2 *noter les ressemblances et les contrastes entre les deux récitatifs.*
3 *quel est l'instant le plus dramatique?*
4 *caractériser le rythme de la conclusion.*

III. La défense d'Hippolyte :

1 *est-il maladroit?*
2 *a-t-il des chances de convaincre son père?*
3 *quel effet peut produire son apologie?*
4 *pourquoi l'aveu de son amour pour Aricie contribue-t-il à le perdre?*
5 *comment essaie-t-il d'émouvoir son père?*
6 *que pensez-vous du dernier argument employé par Hippolyte?*

IV. Les sentiments de Thésée :

1 *lui arrive-t-il de douter de lui-même?*
2 *caractériser la grandeur tragique de Thésée.*
3 *montrer son aveuglement.*
4 *pourquoi Thésée ne peut-il croire Hippolyte quand il lui avoue son amour pour Aricie?*
5 *montrer la progression de la fureur chez Thésée.*

SCÈNE III : THÉSÉE, *seul*

Misérable, tu cours à ta perte infaillible.
Neptune, par le fleuve• aux Dieux mêmes terrible,
M'a donné sa parole, et va l'exécuter.
1160 Un Dieu vengeur te suit•, tu ne peux l'éviter.
Je t'aimais; et je sens que malgré ton offense
Mes entrailles• pour toi se troublent par avance.
Mais à te condamner tu m'as trop engagé•.
Jamais père en effet fut-il plus outragé?
1165 Justes Dieux, qui voyez la douleur qui m'accable,
Ai-je pu mettre au jour un enfant si coupable?

SCÈNE IV : PHÈDRE, THÉSÉE

PHÈDRE

Seigneur, je viens à vous, pleine d'un juste• effroi.
Votre voix redoutable a passé• jusqu'à moi.
Je crains qu'un prompt effet n'ait suivi la menace.
1170 S'il en est temps encore, épargnez votre race•,
Respectez votre sang•, j'ose vous en prier.
Sauvez-moi de l'horreur• de l'entendre crier•;
Ne me préparez point la douleur éternelle
De l'avoir fait répandre à la main paternelle.

THÉSÉE

1175 Non, Madame, en mon sang ma main n'a point trempé•;
Mais l'ingrat toutefois ne m'est point échappé•.

1158 *par le fleuve :* par le Styx. Ce serment, chez les Anciens, était irrévocable.
1160 *te suit :* te poursuit (cf. le v. 1291 : *dont la honte me suit*).
1162 *entrailles :* cœur. Mot du langage noble au XVIIe siècle.
1163 *engagé :* forcé.
1167 *juste :* légitime.
1168 *a passé :* est parvenue. L'auxiliaire « a » indique l'action.
1170 *votre race :* votre fils qui doit perpétuer votre race.
1171 *votre sang :* celui qui est né de vous.
1172 *horreur :* le frémissement horrifié de Phèdre est d'ordre à la fois physique et moral.
crier : métaphore biblique que Racine reprendra dans *Athalie : Le sang de vos rois crie.*
1175 *trempé :* la même métaphore a été employée par Œnone au vers 220.
1176 *ne m'est point échappé :* l'auxiliaire « être » indique l'état (cf. v. 87 et 422).

Une immortelle main de sa perte est chargée.
Neptune me la doit, et vous serez vengée.

PHÈDRE

Neptune vous la doit! Quoi? vos vœux irrités....

THÉSÉE

1180 Quoi? craignez-vous déjà qu'ils ne soient écoutés?
Joignez-vous bien plutôt à mes vœux légitimes•.
Dans toute leur noirceur retracez-moi ses crimes;
Échauffez mes transports• trop lents, trop retenus.
Tous ses crimes encor ne vous sont pas connus :
1185 Sa fureur• contre vous se répand en injures :
Votre bouche, dit-il, est pleine d'impostures;
Il soutient qu'Aricie a son cœur, a sa foi•,
Qu'il l'aime.

PHÈDRE

Quoi, Seigneur?

THÉSÉE

Il l'a dit devant moi.
Mais je sais rejeter un frivole• artifice.
1190 Espérons de Neptune une prompte justice.
Je vais moi-même encore au pied de ses autels
Le presser d'accomplir ses serments immortels.

1181 *légitimes :* conformes au droit.
1183 *transports :* de colère.
1185 *fureur :* rage haineuse.
1187 *foi :* promesse d'amour fidèle.
1189 *frivole :* sans consistance, qui ne vaut pas la peine qu'on s'y arrête.

QUESTIONS en vue de l'explication de la scène 4 :

1 *Le sens de la démarche de Phèdre :*

a) *quel est son objet?*
b) *quels sentiments éprouve-t-elle?*
c) *quelle est son attitude?*

2 *Une péripétie capitale :*
a) *quel effet la démarche de Phèdre fait-elle sur Thésée?*
b) *qu'a de dramatique pour Phèdre l'aveu de Thésée?*

3 *Pourquoi l'entretien est-il interrompu?*

SCÈNE V : PHÈDRE, *seule*

Il sort. Quelle nouvelle a frappé mon oreille?
Quel feu mal étouffé dans mon cœur se réveille?
1195 Quel coup de foudre, ô ciel! et quel funeste avis•!
Je volais toute• entière au secours de son fils;
Et m'arrachant des bras d'Œnone épouvantée,
Je cédais au remords dont j'étais tourmentée.
Qui sait même où m•'allait porter ce repentir?
1200 Peut-être à m'accuser j'aurais pu consentir;
Peut-être, si la voix ne m'eût été coupée,
L'affreuse vérité me serait échappée•.
Hippolyte est sensible•, et ne sent rien pour moi!
Aricie a son cœur•! Aricie à sa foi•!
1205 Ah, Dieux! Lorsqu'à mes vœux, l'ingrat inexorable
S'armait d'un œil si fier, d'un front si redoutable,
Je pensais qu'à l'amour son cœur toujours fermé
Fût• contre tout mon sexe également armé.
Une autre cependant a fléchi son audace•,

1195 *funeste avis :* nouvelle qui me porte un coup mortel.
1196 *toute entière :* pour l'orthographe de « toute » voir le vers 306.
1199 *m'allait :* avec le verbe « aller » suivi de l'infinitif, le pronom personnel complément est placé en tête au XVIIe siècle.
1202 *serait échappée :* le verbe « être » marque l'état (cf. v. 1176).
1203 *sensible :* à l'amour. Le verbe « sent » qui suit a la même valeur.
1204 *cœur* et *foi :* reprise presque mot à mot du vers 1187.
1208 *fût :* subjonctif marquant au XVIIe siècle la supposition. On dirait « était ».
1209 *audace :* insensibilité.

QUESTIONS en vue de l'explication de la scène 5 :

1 *Quel est l'intérêt dramatique de ce monologue?*

2 *Montrer la simplicité de la composition.*

3 *Montrer que la torture de Phèdre est provoquée :*
a) *par le contraste entre les intentions et la réalité,*
b) *par l'humiliation de soi.*

1210 Devant ses yeux cruels une autre a trouvé grâce.
Peut-être a-t-il un cœur facile à s'attendrir.
Je suis le seul objet• qu'il ne saurait souffrir;
Et je me chargerais du soin de le défendre•?

SCÈNE VI : PHÈDRE, ŒNONE

PHÈDRE

Chère Œnone, sais-tu ce que je viens d'apprendre?

ŒNONE

1215 Non; mais je viens tremblante, à ne vous point mentir.
J'ai pâli du dessein qui vous a fait sortir;
J'ai craint une fureur à vous-même fatale•.

PHÈDRE

Œnone, qui l'eût cru? j'avais une rivale•.

ŒNONE

Comment?

PHÈDRE

Hippolyte aime, et je n'en puis douter.
1220 Ce farouche ennemi qu'on ne pouvait dompter,
Qu'offensait le respect, qu'importunait la plainte,
Ce tigre, que jamais je n'abordai sans crainte,
Soumis, apprivoisé, reconnaît un vainqueur :
Aricie a trouvé le chemin de son cœur.

ŒNONE

1225 Aricie?

1212 *objet :* femme susceptible d'être aimée.

1213 *défendre :* c'est par le ressort de la jalousie que Racine diffère des modèles antiques.

1217 *une fureur à vous-même fatale :* un égarement qui eût entraîné votre perte.

1218 *une rivale :* écho tragique du vers 790 : *Je ne me verrai point préférer de rivale.*

PHÈDRE

Ah! douleur non encore éprouvée!
A quel nouveau tourment je me suis réservée!
Tout ce que j'ai souffert, mes craintes, mes transports•,
La fureur de mes feux, l'horreur de mes remords•,
Et d'un refus cruel l'insupportable injure
1230 N'était• qu'un faible essai• du tourment que j'endure.
Ils s'aiment! Par quel charme• ont-ils trompé mes yeux?
Comment se sont-ils vus? Depuis quand? Dans quels lieux?
Tu le savais. Pourquoi me laissais-tu séduire•?
De leur furtive• ardeur ne pouvais-tu m'instruire?
1235 Les a-t-on vus souvent se parler, se chercher?
Dans le fond des forêts allaient-ils se cacher?
Hélas! ils se voyaient avec pleine licence•.
Le ciel de leurs soupirs approuvait l'innocence;
Ils suivaient sans remords leur penchant amoureux,
1240 Tous les jours se levaient clairs et sereins pour eux.
Et moi, triste rebut de la nature entière,
Je me cachais au jour, je fuyais la lumière.
La mort est le seul dieu• que j'osais implorer.
J'attendais le moment où j'allais expirer;
1245 Me nourrissant de fiel•, de larmes abreuvée,
Encor dans mon malheur de trop près observée•,
Je n'osais dans mes pleurs me noyer à loisir;
Je goûtais en tremblant ce funeste• plaisir;

1227 *mes transports* : dus à *la fureur de mes feux*, comme *mes craintes* sont dues à *l'horreur de mes remords*.

1228 *remords :* ce vers où *fureur* et *horreur* gardent leur sens étymologique n'exprime-t-il pas tout le drame de Phèdre?

1230 *n'était :* l'accord se fait avec *tout ce que j'ai souffert*.
essai : avant-goût, épreuve. Cf. v. 1225 : *Ah! douleur non encore éprouvée!*

1231 *charme :* influence magique.

1233 *séduire :* détourner du droit chemin, tromper.

1234 *furtive :* exprimée en cachette.

1237 *licence :* entière liberté.

1243 *dieu :* la mort était une divinité.

1245 *fiel :* amertume.

1246 *de trop près observée :* c'est le destin des grands que de ne pouvoir être seuls.

1248 *funeste :* mortel.

Et sous un front serein déguisant mes alarmes,
1250 Il fallait bien souvent me priver de mes larmes.

ŒNONE

Quel fruit recevront-ils de leurs vaines• amours?
Ils ne se verront plus.

PHÈDRE

Ils s'aimeront toujours.
Au moment que• je parle, ah! mortelle pensée!
Ils bravent la fureur• d'une amante insensée.
1255 Malgré ce même exil• qui va les écarter•,
Ils font mille serments de ne se point quitter.
Non, je ne puis souffrir un bonheur qui m'outrage,
Œnone. Prends pitié de ma jalouse rage,
Il faut perdre• Aricie. Il faut de mon époux
1260 Contre un sang odieux• réveiller le courroux.
Qu'il ne se borne pas à des peines légères :
Le crime de la sœur passe• celui des frères•.
Dans mes jaloux transports je le• veux implorer.
Que fais-je? Où ma raison se va-t-elle égarer?
1265 Moi jalouse! et• Thésée est celui que j'implore!
Mon époux est vivant, et• moi je brûle• encore!

1251 *vaines :* qui n'existent plus, car Hippolyte et Aricie sont à jamais séparés.

1253 *au moment que :* au moment où.

1254 *fureur :* rage furieuse provoquée par la jalousie.

1255 *ce même exil :* cet exil même.
les écarter : l'un de l'autre.

1259 *perdre :* provoquer la mort.

1260 *contre un sang odieux :* contre la fille des Pallantides à qui Thésée voue une haine mortelle.

1262 *passe :* dépasse.
frères : les Pallantides (cf. v. 53).

1263 *le :* le pronom personnel complément est en tête du groupe verbal au XVIIe siècle (cf. « se » du vers suivant).

1265 *et :* et qui plus est.

1266 *et :* mais.
brûle : d'un amour défendu. Mot du vocabulaire galant. Mais chaque fois que Phèdre emploie ces métaphores de *feu*, d'*ardeur*, elles évoquent bien une passion de feu.

Pour qui ? Quel est le cœur où• prétendent mes vœux• ?
Chaque mot sur mon front fait dresser• mes cheveux•.
Mes crimes désormais ont comblé la mesure.
1270 Je respire• à la fois l'inceste et l'imposture•.
Mes homicides mains, promptes à me venger,
Dans le sang innocent• brûlent de se plonger.
Misérable! et je vis ? et je soutiens la vue•
De ce sacré• soleil dont je suis descendue• ?
1275 J'ai pour aïeul le père et le maître des Dieux• ;
Le ciel, tout l'univers est plein de mes aïeux.
Où me cacher• ? Fuyons dans la nuit infernale•.
Mais que dis-je ? mon père y tient l'urne fatale• ;
Le sort, dit-on, l'a mise en ses sévères mains :

1267 *où :* auquel.
mes vœux : mon amour.

1268 *dresser :* se dresser.
cheveux : ce vers définit admirablement « l'horreur ».

1270 *je respire :* j'exhale une odeur de.
l'imposture : le fait d'avoir laissé Œnome calomnier Hippolyte et le plan qu'elle vient d'imaginer (1260-1263) pour perdre Aricie.

1272 *dans le sang innocent :* celui d'Aricie. Écho tragique des vers 220 et 903.

1273 *je soutiens la vue de :* j'ai le courage de m'exposer au regard.

1274 *sacré :* l'adjectif précède souvent le nom au XVIIe siècle (cf. v. 59).
descendue : Phèdre est la petite fille du Soleil par sa mère Pasiphaé (voir le vers 170).

1275 *le père et le maître des Dieux :* par son père Minos, Phèdre descend de Zeus.

1277 *où me cacher?* On a noté la double inspiration à la fois païenne et chrétienne de ce passage. Au début de *Phèdre* (v. 157-8) Sénèque fait dire à la nourrice *: Crois-tu en ton pouvoir de demeurer tapie quand tes aïeux voient tout?* Mais à la couleur antique se joint la substance biblique. Roger Pons a signalé comme source probable le psaume CXXXVIII que Racine savait par cœur : *Où irai-je loin de ton esprit, où fuirai-je loin de ta face? Si j'escalade les cieux, tu es là; qu'au shéol* [séjour des morts] *je me couche, te voici.*
la nuit infernale : la nuit des enfers.

1278 *l'urne fatale :* aux verdicts irrévocables.

1280 Minos juge aux enfers tous les pâles• humains•.
Ah! combien frémira son ombre épouvantée,
Lorsqu'il verra sa fille à ses yeux présentée,
Contrainte d'avouer tant de forfaits divers,
Et des crimes peut-être inconnus aux enfers!
1285 Que diras-tu, mon père, à ce spectacle horrible•?
Je crois voir de ta main tomber l'urne terrible;
Je crois te voir, cherchant un supplice nouveau,
Toi-même de ton sang• devenir le bourreau.
Pardonne•. Un Dieu cruel• a perdu ta famille :
1290 Reconnais sa vengeance aux fureurs• de ta fille.
Hélas! du crime affreux dont la honte me suit
Jamais mon triste• cœur n'a recueilli le fruit•.

1280 *pâles :* sans corps, donc des ombres. Mais l'adjectif « pâles » contribue à créer l'atmosphère d'épouvante.
humains : souvenir du chant VI de l'*Enéide* (v. 432-3) : *Minos préside et agite son urne, c'est lui qui convoque le conseil des Silencieux, s'enquiert de la vie et des fautes de chacun.*

1285 *horrible :* qui inspire le frémissement de « l'horreur ».

1288 *ton sang :* ta fille. A Thésée, bourreau de son fils, correspond, sur le plan métaphysique, Minos, bourreau de sa fille.

1289 *pardonne :* par le ressort de la jalousie avec toutes ses conséquences Racine confère à la tragédie le sens du péché et du pardon, ce qui était impensable pour les Anciens. On a pu évoquer les vers du *Dies irae : Juge juste de la vengeance, fais-nous le don du pardon.*
un Dieu cruel : il s'agit évidemment de Vénus (cf. v. 277). Mais ce Dieu ne laisse pas de faire penser au Dieu impitoyable de l'Ancien Testament, c'est-à-dire, en somme, au Dieu des jansénistes.

1290 *fureurs :* manifestations de folie. Cf. l'emploi du mot, au pluriel encore, dans : *De l'amour j'ai toutes les fureurs* (v. 259).

1292 *triste :* malheureux.
le fruit : le sens de ce vers est assez ambigu. Certains, comme Chateaubriand, Gide ou l'acteur J.-L. Barrault, y voient le regret de n'avoir pu profiter, ne fût-ce qu'un instant, de son péché. Une telle interprétation était déjà proposée au XVIIe siècle puisque Louis Racine s'insurgeait contre elle, allant jusqu'à vouloir remplacer « le » par « de ». Roger Pons est du même avis et fait un rapprochement avec le verset 21 du chapitre VI de l'Épître aux Romains : *Le fruit du péché, c'est la mort.* En somme, Phèdre éprouve dans le drame de sa vie l'échec total du péché, qui ne rapporte rien à personne.

Jusqu'au dernier soupir de malheurs poursuivie,
Je rends dans les tourments une pénible vie.

ŒNONE

1295 Hé! repoussez, Madame, une injuste• terreur.
Regardez d'un autre œil une excusable erreur.
Vous aimez. On ne peut vaincre sa destinée.
Par un charme fatal• vous fûtes entraînée.
Est-ce donc un prodige inouï parmi nous?
1300 L'amour n'a-t-il encor triomphé que de vous•?
La faiblesse aux humains n'est que trop naturelle.
Mortelle, subissez le sort d'une mortelle°.
Vous vous plaignez d'un joug imposé dès• longtemps :
Les Dieux mêmes, les Dieux, de l'Olympe• habitants,
1305 Qui d'un bruit si terrible épouvantent les crimes•,
Ont brûlé quelquefois de feux illégitimes.

PHÈDRE

Qu'entends-je? Quels conseils ose-t-on me donner?
Ainsi donc jusqu'au bout tu veux m'empoisonner,
Malheureuse? Voilà comme tu m'as perdue.
1310 Au jour que je fuyais c'est toi qui m'as rendue.
Tes prières m'ont fait oublier mon devoir.
J'évitais Hippolyte, et tu me l'as fait voir.
De quoi te chargeais-tu? Pourquoi ta bouche impie
A-t-elle, en l'accusant, osé noircir sa vie?

1295 *injuste :* que rien ne justifie.

1298 *charme fatal :* influence, pouvoir venant du destin.

1300 *que de vous :* écho des conseils de Théramène. Cf. le v. 123 : *Quels courages Vénus n'a-t-elle pas domptés?*

1302 *mortelle :* transposition du vers 439 d'Euripide : *Tu aimes! Faut-il s'en étonner? Tu as cela de commun avec beaucoup de mortels.*

1303 *dès :* depuis.

1304 *l'Olympe :* montagne de Grèce qui passait pour être la résidence des dieux.

1305 *les crimes :* tous les mortels ont appris avec terreur (*un bruit si terrible*) par quels effroyables châtiments les dieux punissent les crimes. Notons la construction hardie de l'abstrait (*les crimes*) comme régime du verbe *épouvantent.*

QUESTIONS en vue de l'explication de la scène 6 :

I. Composition de la scène :

1 *Quel est l'état d'âme de Phèdre au début de la scène ?*

2 *Distinguez les principales étapes du drame de Phèdre.*

3 *Pourquoi Racine a-t-il prolongé la scène par l'intervention d'Œnone ?*

II. Le rôle d'Œnone :

1 *Quel est le sens de ses questions pour l'organisation de la scène ?*

2 *Quel est le destin d'Œnone ?*

3 *Comment voit-elle sa propre fin ?*

III. L'art classique et le tumulte des sentiments :

1 *Comment le tumulte est-il dominé ?*
a) *quel est l'élément-moteur de la scène ?*
b) *caractériser l'unité des visions.*

2 *Comment le tumulte est-il organisé ?*
a) *où Racine voulait-il mener son héroïne ?*
b) *comment Racine a-t-il rendu la complexité du personnage ?*

IV. Explication du passage 1231-1243 :

1 *Opposer l'affolement et la douceur de ton.*

2 *Quel rôle joue la métaphore du jour et de la nuit ?*

3 *Quel sens revêt la jalousie de Phèdre ?*

V. Explication du passage 1277-1288 :

1 *Comment se développe l'angoisse de Phèdre ?*

2 *Préciser le caractère hallucinatoire de ce couplet.*

3 *Comment la vision janséniste transfigure-t-elle l'atmosphère antique ?*

1315 Il en mourra peut-être, et d'un père insensé
Le sacrilège vœu peut-être est exaucé.
Je ne t'écoute plus. Va-t'en, monstre• exécrable :
Va, laisse-moi le soin de mon sort déplorable.
Puisse le juste ciel dignement te payer!
1320 Et puisse ton supplice à jamais effrayer
Tous ceux qui comme toi, par de lâches adresses•,
Des princes malheureux nourrissent les faiblesses,
Les poussent au penchant où leur cœur est enclin,
Et leur osent du crime aplanir le chemin,
1325 Détestables flatteurs, présent le plus funeste
Que puisse faire aux rois la colère céleste•!

ŒNONE, *seule*

Ah, Dieux! pour la servir j'ai tout fait, tout quitté;
Et j'en reçois ce prix? Je l'ai bien mérité.

1317 *monstre :* dans la galerie des monstres de la tragédie, Œnone a la dernière place.
1321 *adresses :* artifices.
1326 *la colère céleste :* souvenir d'Euripide : *Ah! scélérate, fléau de tes amis, que m'as-tu fait? Périsse avec toi quiconque, malgré ses amis, met son zèle à leur rendre de coupables services* (*Hippolyte*, v. 682 sq.). Mais qui ne voit l'actualité de ces vers prononcés devant les courtisans du XVIIe siècle?

QUESTIONS d'ensemble sur l'acte IV :

I. La construction dramatique de l'acte :

1 *la symétrie des plans.*

2 *quel est l'endroit le plus dramatique?*

3 *comment les retours sur le passé préparent-ils le dénouement?*

II. L'atmosphère de l'acte :

1 *comparer la jalousie de Thésée et celle de Phèdre.*

2 *comment se manifeste et s'exprime la folie?*

3 *quels sont les rapports entre les humains et les dieux?*

I. La machine infernale

mise en route par Œnone (sc. 1)
sa marche sera-t-elle arrêtée par la défense d'Hippolyte (sc. 2)?
par l'action de Phèdre (sc. 3)?
mais elle est, au contraire, accélérée par :
— l'élément psychologique : Hippolyte se heurte à l'aveuglement de son père (sc. 2)
— une péripétie dramatique : c'est Thésée lui-même, instrument involontaire du destin, qui apprend à Phèdre qu'Hippolyte aime Aricie.
Dès lors, au silence inévitable de Phèdre, s'ajoute l'impatience de Thésée :

Espérons de Neptune une prompte justice (v. 1190).

II. En effet, un acte sous le signe du délire.

A la « fureur » de Thésée, *père insensé* (v. 1315) qui domine les 3 premières scènes :

- abusé par Œnone (sc. 1)
- il condamne son fils (sc. 2)
- en appelle au châtiment suprême (sc. 3)

répond « la fureur » de Phèdre, *amante insensée* (v. 1254), qui domine les 3 dernières scènes :

- en proie à la stupeur jalouse elle laisse condamner Hippolyte (scène 4)
- et ne regrette rien (scène 5)
- mais en le condamnant, elle se condamne elle-même (sc 6).

Mais cette « fureur » est pitoyable, car l'aveuglement s'allie à une conscience douloureuse :

THÉSÉE : *Mes entrailles pour toi se troublent par avance* (v. 1162)
PHÈDRE : *Et moi, triste rebut de la nature entière* (v. 1241).

III. Cette conscience douloureuse conduira-t-elle au salut?

Déjà Phèdre a imploré le pardon (v. 1289)
a condamné Œnone (v. 1317-1326).
Le cinquième acte sera-t-il pour les personnages celui de *l'expiation et du rachat*?

ACTE V

SCÈNE PREMIÈRE : HIPPOLYTE, ARICIE

ARICIE

Quoi? vous pouvez vous taire en ce péril extrême?
1330 Vous laissez dans l'erreur un père qui vous aime?
Cruel, si de mes pleurs méprisant le pouvoir,
Vous consentez sans peine à ne me plus revoir,
Partez, séparez-vous de la triste• Aricie;
Mais du moins en partant assurez• votre vie.
1335 Défendez votre honneur d'un reproche honteux,
Et forcez votre père à révoquer• ses vœux.
Il en est temps encor. Pourquoi, par quel caprice,
Laissez-vous le champ libre à votre accusatrice?
Éclaircissez• Thésée.

HIPPOLYTE

Hé! que n'ai-je point dit?
1340 Ai-je dû• mettre au jour• l'opprobre de son lit?
Devais-je, en lui faisant un récit trop sincère•,
D'une indigne rougeur couvrir le front d'un père?
Vous seule avez percé ce mystère odieux.
Mon cœur pour s'épancher n'a que vous et les Dieux.
1345 Je n'ai pu vous cacher, jugez si je vous aime,
Tout ce que je voulais me cacher à moi-même.
Mais songez sous quel sceau• je vous l'ai révélé.
Oubliez, s'il se peut, que je vous ai parlé,
Madame; et que jamais une bouche si pure

1333 *triste :* malheureuse.
1334 *assurez :* mettez en sûreté (cf. v. 941).
1336 *révoquer :* rappeler, annuler.
1339 *éclaircissez :* instruisez clairement, éclairez.
1340 *ai-je dû :* aurais-je dû (latinisme).
mettre au jour : faire connaître, révéler.
1341 *trop sincère :* trop véridique.
1347 *sous quel sceau :* que je l'ai révélé sous le sceau (du secret).

1350 Ne s'ouvre pour conter cette horrible aventure.
Sur• l'équité des Dieux osons nous confier :
Ils ont trop d'intérêt à me justifier;
Et Phèdre, tôt ou tard de son crime punie,
N'en saurait éviter la juste• ignominie.
1355 C'est l'unique respect que j'exige de vous.
Je permets tout le reste à mon libre courroux.
Sortez de l'esclavage où vous êtes réduite;
Osez me suivre, osez accompagner ma fuite;
Arrachez-vous d'un lieu funeste• et profané,
1360 Où la vertu respire un air empoisonné;
Profitez, pour cacher votre prompte retraite•,
De la confusion que ma disgrâce y jette.
Je vous• puis de la fuite assurer• les moyens.
Vous n'avez jusqu'ici de gardes que les miens;
1365 De puissants défenseurs prendront notre querelle•,
Argos nous tend les bras, et Sparte• nous appelle :
A nos amis communs portons nos justes cris•;
Ne souffrons pas que Phèdre, assemblant nos débris•,
Du trône paternel nous chasse l'un et l'autre,
1370 Et promette à son fils ma dépouille• et la vôtre.
L'occasion est belle, il la faut embrasser•.

1351 *sur :* à.
1354 *juste :* qu'elle mérite.
1359 *funeste :* où l'on ne peut vivre.
1361 *retraite :* départ.
1363 *vous :* le pronom personnel complément au XVIIe siècle précède le verbe « pouvoir » suivi de l'infinitif. Même remarque pour le verbe « falloir » : cf. v. 1371.
assurer : fournir d'une façon sûre.
1365 *querelle :* cause, parti.
1366 *Argos... et Sparte* : sur la route de Sparte, capitale du Péloponnèse, Hippolyte trouvera Argos. C'est la seule région, en effet, où Hippolyte puisse trouver refuge.
1367 *portons nos justes cris :* faisons parvenir nos légitimes revendications. Remarquons la hardiesse de la construction.
1368 *assemblant nos débris :* rassemblant les restes de notre fortune.
1370 *ma dépouille :* dans ce sens, nous employons le pluriel.
1371 *embrasser :* saisir (entre les bras).

Quelle peur vous retient? Vous semblez balancer•?
Votre seul intérêt m'inspire cette audace.
Quand je suis tout de feu, d'où vous vient cette glace?
1375 Sur les pas d'un banni craignez-vous de marcher?

ARICIE

Hélas! qu'un tel exil, Seigneur, me serait cher•!
Dans quels ravissements, à votre sort liée,
Du reste des mortels je vivrais oubliée!
Mais n'étant point unis• par un lien si doux,
1380 Me puis-je avec honneur dérober• avec vous?
Je sais que sans blesser l'honneur le plus sévère,
Je me puis affranchir• des mains de votre père :
Ce n'est point m'arracher du sein de mes parents;
Et la fuite est permise à qui fuit ses tyrans.
1385 Mais vous m'aimez, Seigneur; et ma gloire• alarmée....

HIPPOLYTE

Non, non, j'ai trop de soin de votre renommée.
Un plus noble dessein m'amène devant vous :

1372 *balancer :* hésiter.
1376 *marcher* et *cher :* deux rimes normandes (cf. v. 971-2).
1379 *n'étant point unis :* comme nous ne sommes point unis. Le participe s'employait au XVIIe siècle plus librement que de nos jours.
1380 *me dérober :* m'enfuir en cachette; noter l'antéposition classique du pronom personnel complément d'objet d'un groupe verbal constitué d'un verbe principal suivi d'un infinitif.
1382 *me :* cf. v. 1363.
affranchir : délivrer.
1385 *gloire :* réputation.

QUESTIONS en vue de l'explication de la scène 1 :

1 *Justifier, du point de vue dramatique, l'entrevue entre Hippolyte et Aricie.*

2 *Qu'y a-t-il de cornélien dans cette scène?*

3 *Étudier les thèmes de la séparation et de l'union.*

Fuyez mes ennemis, et suivez votre époux.
Libres• dans nos malheurs, puisque le ciel l'ordonne,
1390 Le don de notre foi• ne dépend de personne.
L'hymen n'est point toujours entouré de flambeaux•.
Aux portes de Trézène, et parmi ces tombeaux,
Des princes de ma race antiques sépultures,
Est un temple sacré formidable• aux parjures.
1395 C'est là que les mortels n'osent jurer en vain :
Le perfide y reçoit un châtiment soudain;
Et craignant• d'y trouver la mort inévitable,
Le mensonge n'a point de frein plus redoutable.
Là, si vous m'en croyez, d'un amour éternel
1400 Nous irons confirmer• le serment solennel;
Nous prendrons à témoin le dieu qu'on y révère;
Nous le prierons tous deux de nous servir de père.
Des dieux les plus sacrés j'attesterai• le nom.
Et la chaste Diane, et l'auguste Junon,
1405 Et tous les Dieux enfin, témoins de mes tendresses,
Garantiront la foi• de mes saintes promesses.

ARICIE

Le Roi vient. Fuyez, Prince, et partez promptement.
Pour cacher mon départ, je demeure un moment.
Allez; et laissez-moi quelque fidèle guide,
1410 Qui conduise vers vous ma démarche timide•.

1389 *libres :* se rapporte à « nous » contenu dans *notre* (v. 1390).

1390 *foi :* promesse d'amour et de fidélité.

1391 *flambeaux :* en Grèce les noces se faisaient le soir aux flambeaux.

1394 *formidable :* qui inspire la terreur (latinisme).

1397 *craignant :* car celui qui fait un mensonge est rempli de crainte. Emploi hardi de l'abstrait (*mensonge*) pour le concret.

1400 *confirmer :* sanctionner.

1403 *attesterai :* prendrai à témoin.

1406 *garantiront la foi :* rendront sûre la confiance que l'on doit avoir dans.

1410 *démarche timide :* marche craintive.

SCÈNE II : THÉSÉE, ARICIE, ISMÈNE

THÉSÉE

Dieux, éclairez mon trouble, et daignez à mes yeux
Montrer la vérité, que je cherche en ces lieux.

ARICIE

Songe à tout, chère Ismène, et sois prête à la fuite.

SCÈNE III : THÉSÉE, ARICIE

THÉSÉE

Vous changez de couleur, et semblez interdite•,
1415 Madame! Que faisait Hippolyte en ce lieu?

ARICIE

Seigneur, il me disait un éternel adieu.

THÉSÉE

Vos yeux ont su dompter ce rebelle courage•,
Et ses premiers soupirs sont votre heureux ouvrage.

ARICIE

Seigneur, je ne vous puis nier la vérité :
1420 De votre injuste haine il n'a pas hérité;
Il ne me traitait point comme une criminelle.

THÉSÉE

J'entends• : il vous jurait une amour éternelle•.
Ne vous assurez point sur• ce cœur inconstant;
Car à d'autres que vous il en jurait autant.

1414 *interdite :* incapable de dire un mot.

1417 *courage :* cœur.

1422 *j'entends :* je comprends.
une amour éternelle : ce mot était des deux genres au XVIIe siècle, aussi bien au singulier qu'au pluriel. Le féminin est encore employé de nos jours au pluriel : on dit « de belles amours ».

1423 *ne vous assurez point sur :* ne placez pas votre sûreté dans.

ARICIE

1425 Lui, Seigneur?

THÉSÉE

Vous deviez• le rendre moins volage :
Comment souffriez-vous cet horrible partage?

ARICIE

Et comment souffrez-vous que d'horribles discours•
D'une si belle vie osent noircir le cours?
Avez-vous de son cœur si peu de connaissance?
1430 Discernez-vous si mal le crime et l'innocence?
Faut-il qu'à vos yeux seuls un nuage odieux
Dérobe sa vertu qui brille à tous les yeux?
Ah! c'est trop le livrer à des langues perfides.
Cessez : repentez-vous de vos vœux homicides;
1435 Craignez, Seigneur, craignez que le ciel rigoureux
Ne vous haïsse assez pour exaucer vos vœux.
Souvent dans sa colère il reçoit• nos victimes;
Ses présents sont souvent la peine• de nos crimes.

THÉSÉE

Non, vous voulez en vain couvrir• son attentat :
1440 Votre amour vous aveugle en faveur de l'ingrat.

1425 *vous deviez :* vous auriez dû (latinisme).
1427 *d'horribles discours :* des propos qui font frémir d'horreur.
1437 *il reçoit :* il agrée.
1438 *la peine :* le châtiment.
1439 *couvrir :* excuser. Cf. les expressions « couvrir quelqu'un », « couvrir un crime ».

QUESTIONS en vue de l'explication de la scène 3 :

1 *Expliquer la brutalité de Thésée.*

2 *Comment Aricie ouvre-t-elle les yeux de Thésée?*

Mais j'en crois des témoins certains, irréprochables :
J'ai vu, j'ai vu couler des larmes véritables•.

ARICIE

Prenez garde, Seigneur. Vos invincibles mains
Ont de monstres• sans nombre affranchi• les humains;
1445 Mais tout n'est pas détruit, et vous en laissez vivre
Un.... Votre fils, Seigneur, me défend de poursuivre.
Instruite du respect qu'il veut vous conserver,
Je l'affligerais trop si j'osais achever,
J'imite sa pudeur•, et fuis votre présence
1450 Pour n'être pas forcée à rompre le silence.

SCÈNE IV : THÉSÉE, *seul*

Quelle est donc sa pensée ? et que cache un discours
Commencé tant de fois, interrompu toujours ?
Veulent-ils m'éblouir• par une feinte vaine ?
Sont-ils d'accord tous deux pour me mettre à la gêne• ?

1442 *des larmes véritables :* à quelles larmes Thésée fait-il allusion ? Celles de Phèdre ? Mais c'est par l'intermédiaire d'Œnone qu'il les a vues : *J'ai servi, malgré moi, d'interprète à ses larmes* (v. 1022). Thésée pense plutôt à l'attitude d'Hippolyte dans la scène 2 de l'acte IV. (Cf. particulièrement les vers 1121, 1130 et 1143-4).

1444 *monstres :* c'est Aricie qui donne finalement à ce mot tout son sens, en assimilant Phèdre aux brigands fabuleux vaincus par Thésée.
affranchi : libéré.

1449 *pudeur :* réserve, discrétion, sentiment de l'honneur.

1453 *m'éblouir :* me tromper.

1454 *gêne :* au sens fort de torture. Étymologiquement *gêne* est la contraction de *géhenne*.

QUESTIONS en vue de l'explication de la scène 4 :

1 *La nécessité de ce monologue ?*

2 *Montrer comment Thésée passe de l'interrogation à la décision.*

1455 Mais moi-même•, malgré ma sévère rigueur,
Quelle plaintive voix crie au fond de mon cœur?
Une pitié secrète et m'afflige et m'étonne•.
Une seconde fois interrogeons Œnone.
Je veux de tout le crime être mieux éclairci•.
1460 Gardes, qu'Œnone sorte, et vienne seule ici.

SCÈNE V : THÉSÉE, PANOPE

PANOPE

J'ignore le projet que la Reine médite,
Seigneur, mais je crains tout du transport qui l'agite.
Un mortel désespoir sur son visage est peint;
La pâleur de la mort est déjà sur son teint.
1465 Déjà, de sa présence avec honte chassée,
Dans la profonde mer Œnone s'est lancée.
On ne sait point d'où part ce dessein furieux•;
Et les flots pour jamais l'ont ravie à nos yeux.

THÉSÉE

Qu'entends-je?

PANOPE

Son trépas n'a point calmé la Reine :
1470 Le trouble semble croître en son âme incertaine•.
Quelquefois, pour flatter• ses secrètes douleurs,

1455 *moi-même :* pour ce qui est de moi-même.
1457 *m'étonne :* me frappe de stupeur, comme par un coup de tonnerre.
1459 *éclairci :* éclairé (cf. le vers 1339).
1467 *furieux :* inspiré par la folie.
1470 *incertaine :* qui ne sait ce qu'elle veut.
1471 *flatter :* apaiser par un dérivatif.

QUESTIONS en vue de l'explication de la scène 5 :

1 *Quel est le comportement de Phèdre depuis la fin de l'acte IV?*

2 *Quel effet produisent sur Thésée les nouvelles apportées par Panope?*

Elle prend ses enfants et les baigne de pleurs;
Et soudain, renonçant à l'amour maternelle•,
Sa main• avec horreur les repousse loin d'elle.
1475 Elle porte au hasard ses pas irrésolus;
Son œil tout égaré ne nous reconnaît plus.
Elle a trois fois écrit; et changeant de pensée,
Trois fois elle a rompu• sa lettre commencée.
Daignez la voir, Seigneur; daignez la secourir.

THÉSÉE

1480 O ciel! Œnone est morte, et Phèdre veut mourir?
Qu'on rappelle mon fils, qu'il vienne se défendre!
Qu'il vienne me parler, je suis prêt• de l'entendre.
Ne précipite point tes funestes• bienfaits,
Neptune; j'aime mieux n'être exaucé jamais.
1485 J'ai peut-être trop cru des témoins peu fidèles,
Et j'ai trop tôt vers toi levé mes mains cruelles.
Ah! de quel désespoir mes vœux seraient suivis!

SCÈNE VI : THÉSÉE, THÉRAMÈNE

THÉSÉE

Théramène, est-ce toi? Qu'as-tu fait de mon fils?
Je te l'ai confié dès l'âge le plus tendre.
1490 Mais d'où naissent les pleurs que je te vois répandre?
Que fait mon fils?

THÉRAMÈNE

O soins tardifs et superflus!
Inutile tendresse! Hippolyte n'est plus.

1473 *amour maternelle :* voir la remarque du vers 1422.
1474 *sa main :* par une rupture de construction (anacoluthe), « elle » qu'on attendait comme sujet de « repousse » est remplacé par « sa main », mot qui évoque le geste (cf. la même remarque à peu près au vers 1397-98).
1478 *rompu :* déchiré.
1482 *prêt de :* prêt à.
1483 *funestes :* mortels.

THÉSÉE

Dieux!

THÉRAMÈNE

J'ai vu des mortels périr le plus aimable•,
Et j'ose dire encor, Seigneur, le moins coupable.

THÉSÉE

1495 Mon fils n'est plus? Hé quoi? quand je lui tends les bras,
Les Dieux impatients ont hâté son trépas?
Quel coup me l'a ravi? quelle foudre soudaine?

THÉRAMÈNE

A peine nous sortions des portes de Trézène•,
Il était sur son char; ses gardes affligés
1500 Imitaient son silence, autour de lui rangés;
Il suivait tout pensif le chemin de Mycènes;
Sa main sur ses chevaux laissait flotter les rênes.
Ses superbes• coursiers•, qu'on voyait autrefois
Pleins d'une ardeur si noble obéir à sa voix,
1505 L'œil morne maintenant et la tête baissée,
Semblaient se conformer à sa triste pensée.
Un effroyable cri, sorti du fond des flots,
Des airs en ce moment a troublé le repos;
Et du sein de la terre une voix formidable
1510 Répond en gémissant à ce cri redoutable.
Jusqu'au fond de nos cœurs notre sang s'est glacé;
Des coursiers attentifs le crin s'est hérissé.
Cependant• sur le dos de la plaine liquide
S'élève à gros bouillons• une montagne humide;
1515 L'onde approche, se brise, et vomit à nos yeux,
Parmi des flots d'écume, un monstre furieux•.

1493 *aimable :* digne d'être aimé.
1498 Pour ce récit, voir *Documents* (pp. 141-2, 146 et 147-8).
1503 *superbes :* fiers.
coursiers : mot du langage noble (cf. v. 132, 552).
1509 *voix formidable :* cri effrayant, qui sème l'épouvante.
1513 *cependant :* pendant ce temps.
1514 *à gros bouillons :* en faisant d'énormes tourbillons.
1516 *un monstre furieux :* un animal prodigieux en proie à une folie destructrice.

Son front large est armé de cornes menaçantes;
Tout son corps est couvert d'écailles jaunissantes;
Indomptable taureau•, dragon impétueux,
1520 Sa croupe se recourbe en replis tortueux.
Ses longs mugissements font trembler le rivage•.
Le ciel avec horreur• voit ce monstre• sauvage;
La terre s'en émeut•, l'air en est infecté;
Le flot, qui l'apporta, recule épouvanté•.
1525 Tout fuit; et sans s'armer d'un courage inutile,
Dans le temple voisin• chacun cherche un asile.
Hippolyte lui seul, digne fils d'un héros•,
Arrête ses coursiers, saisit ses javelots,
Pousse• au monstre, et d'un dard lancé d'une main sûre,
1530 Il lui fait dans le flanc une large blessure.
De rage et de douleur le monstre bondissant
Vient aux pieds des chevaux tomber en mugissant,
Se roule, et leur présente une gueule enflammée
Qui les couvre de feu, de sang et de fumée.
1535 La frayeur les emporte; et sourds à cette fois•,
Ils ne connaissent plus ni le frein ni la voix.
En efforts impuissants leur maître se consume,

1519 *taureau :* chez Euripide, en effet, le monstre est un taureau.

1521 *le rivage :* toute cette description fait penser à la scène célèbre du chant II de l'*Énéide* où des serpents fabuleux jaillissent de la mer pour dévorer le prêtre Laocoon et ses enfants.

1522 *horreur :* le ciel lui-même montre son effroi par l'orage et le tonnerre.
monstre : un des mots clés de la tragédie et en particulier du récit de Théramène. La lutte apocalyptique d'Hippolyte contre le monstre, c'est bien celle de l'homme contre un destin absurde et implacable, et la nature tout entière participe au drame.

1523 *s'en émeut :* la terre se met à trembler sous le coup d'une émotion violente.

1524 *épouvanté :* encore un souvenir de Virgile : *Et le fleuve épouvanté recula* (*Énéide*, VIII, v. 240). Après le tremblement de terre, le raz de marée.

1526 *temple voisin :* cf. v. 1392-4.

1527 *digne fils d'un héros :* Hippolyte est un nouveau Thésée.

1529 *pousse au monstre :* s'élance contre le monstre.

1535 *à cette fois :* cette fois.

Ils rougissent le mors d'une sanglante écume.
On dit qu'on a vu même, en ce désordre affreux,
1540 Un Dieu• qui d'aiguillons pressait leur flanc poudreux•.
A travers des rochers la peur les précipite;
L'essieu crie et se rompt. L'intrépide Hippolyte
Voit voler en éclats tout son char fracassé;
Dans les rênes lui-même il tombe embarrassé•.
1545 Excusez ma douleur. Cette image cruelle
Sera pour moi de pleurs une source éternelle.
J'ai vu, Seigneur, j'ai vu votre malheureux fils
Traîné par les chevaux que sa main a nourris.
Il veut les rappeler, et sa voix les effraie;
1550 Ils courent. Tout son corps n'est bientôt qu'une plaie.
De nos cris douloureux la plaine retentit.
Leur fougue impétueuse enfin se ralentit :
Ils s'arrêtent, non loin de ces tombeaux antiques
Où des rois ses aïeux sont les froides reliques•.
1555 J'y cours en soupirant, et sa garde me suit.
De son généreux sang• la trace nous conduit :
Les rochers en sont teints; les ronces dégouttantes
Portent de ses cheveux les dépouilles sanglantes.
J'arrive, je l'appelle; et me tendant la main,
1560 Il ouvre un œil mourant, qu'il referme soudain.
« Le ciel, dit-il, m'arrache une innocente vie.
Prends soin après ma mort de la triste• Aricie.
Cher ami, si mon père un jour désabusé•
Plaint le malheur d'un fils faussement accusé,
1565 Pour apaiser mon sang et mon ombre plaintive,
Dis-lui qu'avec douceur il traite sa captive;

1540 *un Dieu :* ce Dieu est Neptune que Thésée a tant imploré. *poudreux :* couvert de *poudre* (mot noble désignant *poussière*).

1544 *embarrassé :* enchevêtré.

1554 *les froides reliques :* les ossements.

1556 *généreux sang :* alliance de la vision concrète (les traces de sang) et de l'épithète caractérisant la noblesse du fils de Thésée.

1562 *triste :* frappée par un nouveau malheur. Après la mort de ses frères, c'est la mort de celui qu'elle aime.

1563 *désabusé :* revenu de son erreur.

Qu'il lui rende.... » A ce mot, ce héros expiré•
N'a laissé dans mes bras qu'un corps défiguré,
Triste objet, où• des Dieux triomphe la colère,
1570 Et que méconnaîtrait• l'œil même de son père•.

THÉSÉE

O mon fils! cher espoir que je me suis ravi!
Inexorables Dieux, qui m'avez trop servi!
A quels mortels regrets ma vie est réservée!

1567 *ce héros expiré :* ce héros, ayant expiré.
1569 *où :* dans lequel.
1570 *méconnaîtrait :* ne reconnaîtrait pas.
son père : outre l'épisode des serpents de Laocoon dans Virgile, Racine s'est inspiré dans tout ce passage de l'*Hippolyte* d'Euripide (particulièrement les v. 1175-1250), de la *Phèdre* de Sénèque (particulièrement les v. 1000 à 1115) et du livre XV des *Métamorphoses* d'Ovide. Mais l'idée du terrible combat que livre Hippolyte au monstre est de Racine seul. Signalons toutefois le *Bellérophon* de Quinault. Mais Bellérophon ne peut succomber!

QUESTIONS en vue de l'explication de la scène 6 :

I. L'organisation de la scène.

II. Le récit de Théramène (v. 1498-1570) *:*

1 *Qu'y a-t-il de conventionnel dans ce récit?*

2 *Noter la netteté de la composition.*

3 *Analyser la variété de l'expression :*
a) *son caractère solennel,*
b) *son caractère pittoresque,*
c) *sa tonalité baroque.*

4 *Faire quelques remarques sur le rythme.*

5 *Montrer que ce récit est une oraison funèbre qui célèbre la gloire du héros.*

6 *Condamnez-vous, comme certains critiques, ce récit, ou, au contraire, le comprenez-vous, l'admirez-vous?*

III. Comment se manifeste dans la scène l'émotion de Théramène et de Thésée?

THÉRAMÈNE

La timide• Aricie est alors arrivée.
1575 Elle venait, Seigneur, fuyant votre courroux,
A la face des Dieux l'accepter pour époux.
Elle approche : elle voit l'herbe rouge et fumante;
Elle voit (quel objet pour les yeux d'une amante!)
Hippolyte étendu, sans forme et sans couleur.
1580 Elle veut quelque temps douter de son malheur;
Et ne connaissant• plus ce héros qu'elle adore,
Elle voit Hippolyte et le demande encore.
Mais trop sûre à la fin qu'il est devant ses yeux,
Par un triste regard elle accuse les Dieux;
1585 Et froide, gémissante, et presque inanimée,
Aux pieds de son amant elle tombe pâmée•.
Ismène est auprès d'elle; Ismène, toute en pleurs,
La rappelle à la vie, ou plutôt aux douleurs.
Et moi, je suis venu, détestant la lumière•,
1590 Vous dire d'un héros la volonté dernière,
Et m'acquitter, Seigneur, du malheureux emploi
Dont son cœur expirant s'est reposé sur moi•.
Mais j'aperçois venir sa mortelle ennemie.

SCÈNE VII : THÉSÉE, PHÈDRE, THÉRAMÈNE, PANOPE, GARDES

THÉSÉE

Hé bien! vous triomphez, et mon fils est sans vie.
1595 Ah! que j'ai lieu de craindre! et qu'un cruel soupçon,
L'excusant dans mon cœur, m'alarme avec raison!
Mais, Madame, il est mort, prenez votre victime :

1574 *la timide Aricie :* cf. l'expression du vers 1410 : *ma démarche timide.*
1581 *connaissant :* reconnaissant.
1586 *pâmée :* évanouie.
1589 *détestant la lumière :* maudissant la vie.
1592 *s'est reposé sur moi :* il (le pronom personnel attendu est remplacé par *cœur*) s'est reposé de cette mission sur moi.

Jouissez de sa perte, injuste ou légitime.
Je consens que mes yeux soient toujours abusés.
1600 Je le crois criminel, puisque vous l'accusez.
Son trépas à mes pleurs offre assez de matières,
Sans que j'aille chercher d'odieuses lumières•,
Qui ne pouvant le rendre à ma juste douleur,
Peut-être ne feraient qu'accroître mon malheur.
1605 Laissez-moi, loin de vous et loin de ce rivage,
De mon fils déchiré fuir la sanglante image.
Confus•, persécuté d'•un mortel souvenir,
De l'univers entier je voudrais me bannir.
Tout semble s'élever contre mon injustice.
1610 L'éclat de mon nom même augmente mon supplice.
Moins connu des mortels, je me cacherais mieux.
Je hais jusques au soin dont m'honorent les Dieux;
Et je m'en vais pleurer leurs faveurs meurtrières
Sans plus les fatiguer• d'inutiles prières.
1615 Quoi qu'ils fissent pour moi, leur funeste• bonté
Ne me saurait payer de• ce qu'ils m'ont ôté.

PHÈDRE

Non, Thésée, il faut rompre un injuste silence :
Il faut à votre fils rendre son innocence.
Il n'était point coupable.

THÉSÉE

Ah! père infortuné!
1620 Et c'est sur votre foi• que je l'ai condamné!
Cruelle, pensez-vous être assez excusée...

1602 *lumières :* éclaircissements.
1607 *confus :* bouleversé.
persécuté de : poursuivi par.
1614 *fatiguer :* importuner.
1615 *funeste :* qui a causé la mort de mon fils. Le mot « bonté » évoque le vers 1076 : *Thésée à tes fureurs connaîtra tes bontés.*
1616 *me payer de :* compenser la perte de.
1620 *foi :* assurance, parole.

PHÈDRE

Les moments me sont chers•, écoutez-moi, Thésée.
C'est moi qui sur ce fils chaste et respectueux
Osai jeter un œil profane•, incestueux.
1625 Le ciel• mit dans mon sein une flamme funeste•;
La détestable• Œnone a conduit tout le reste.
Elle a craint qu'Hippolyte, instruit de ma fureur•,
Ne découvrît• un feu qui lui faisait horreur.
La perfide, abusant de ma faiblesse extrême,
1630 S'est hâtée à vos yeux de l'accuser lui-même.
Elle s'en est punie, et fuyant mon courroux,
A cherché dans les flots un supplice trop doux.
Le fer aurait déjà tranché ma destinée;
Mais je laissais gémir la vertu soupçonnée.
1635 J'ai voulu, devant vous exposant• mes remords,
Par un chemin plus lent descendre chez les morts.
J'ai pris, j'ai fait couler dans mes brûlantes veines•
Un poison que Médée• apporta dans Athènes.
Déjà jusqu'à mon cœur le venin parvenu
1640 Dans ce• cœur expirant jette un froid inconnu;
Déjà je ne vois plus qu'à travers un nuage
Et le ciel et l'époux que ma présence outrage;
Et la mort, à mes yeux dérobant la clarté,
Rend au jour, qu'ils souillaient, toute sa pureté.

1622 *chers :* parce qu'ils sont comptés pour moi.
1624 *profane :* souillé, impur.
1625 *ciel :* c'est toujours de Vénus qu'il s'agit. Mais le mot *ciel* est moins précis, moins païen si l'on peut dire, et évoque la malédiction divine. Cf. le vers 1289 : *Un Dieu cruel a perdu ta famille.*
une flamme funeste : un amour porteur de mort.
1626 *détestable :* qui doit être maudite.
1627 *fureur :* folle passion.
1628 *découvrît :* révélât.
1635 *exposant :* dévoilant.
1637 *mes brûlantes veines :* écho du vers 305 : *Ce n'est plus une ardeur dans mes veines cachée.*
1638 *Médée :* fille du roi de Colchide et femme de Jason, elle était célèbre pour ses philtres magiques. Une tradition voulait qu'elle fût la marâtre de Thésée.
1640 *ce :* mon. Mais le démonstratif ne garde-t-il pas sa valeur ?

PANOPE

1645 Elle expire, Seigneur!

THÉSÉE

D'une action si noire
Que ne peut avec elle expirer la mémoire!
Allons, de mon erreur, hélas! trop éclaircis•,
Mêler nos pleurs au sang de mon malheureux fils.
Allons de ce cher fils embrasser ce qui reste,
1650 Expier la fureur• d'un vœu que je déteste•.
Rendons-lui les honneurs qu'il a trop mérités;
Et pour mieux apaiser ses mânes irrités,
Que malgré les complots d'une injuste famille•
Son amante aujourd'hui me tienne lieu de fille.

1647 *éclaircis* : éclairés (cf. v. 1339 et 1459).
1650 *fureur* : folie.
déteste : maudis (cf. v. 1589 et 1626).
1653 *famille* : les Pallantides.

QUESTIONS en vue de l'explication de la scène 7 :

1 *Comment comprendre les sentiments de Thésée à l'égard de Phèdre ?*

2 *Expliquer les dernières paroles de Phèdre (v. 1622-1644) :*

a) *Comment Phèdre récapitule-t-elle son histoire ?*

b) *Quel est le sens du châtiment qu'elle s'inflige ?*

c) *Quel est le ton du passage ?*

3 *Pourquoi est-ce à Thésée de conclure ?*

QUESTIONS d'ensemble sur l'acte V :

1 *Le problème du temps.*

2 *L'alliance du romanesque et du pathétique.*

3 *L'accomplissement des personnages.*

I. Le combat suprême.

Avant que l'ordre soit rétabli, les personnages doivent épuiser leurs forces.

• *Le combat d'Hippolyte :*

La malédiction de son père ne le décourage pas.
Au contraire, il proclame sa confiance dans la justice :
Sur l'équité des dieux osons-nous confier (v. 1351).
Il est décidé à revendiquer ses droits :
A nos amis communs portons nos justes cris (v. 1367).
Il ne s'enfuira qu'après avoir épousé Aricie (v. 1399-1406).
Enfin jusqu'au bout il essaie de résister au monstre qui l'attaque (v. 1527 et suivants).

• *Le combat de Phèdre :*

La mort d'Œnone (v. 1469).
Son attitude à l'égard de ses enfants (v. 1472-1474).
La lettre trois fois déchirée (v. 1477-78).
Son comportement :
Le trouble semble croître en son âme incertaine (v. 1470).
Tout montre le terrible combat qui se joue dans l'âme de Phèdre.

• *Le combat de Thésée :*

En voyant Hippolyte et Aricie ensemble (sc. 2),
En écoutant les paroles d'Aricie (sc. 3),
En entendant Panope lui signaler l'attitude de la Reine (sc. 5),
En apprenant la mort d'Œnone (v. 1466).
Thésée est envahi par l'angoisse et veut arrêter l'action de Neptune :
Ne précipite point tes funestes bienfaits! (v. 1483).

II. La victoire de la lumière.

C'est de la mort qu'elle jaillit.

• *La mort d'Hippolyte :* il meurt en héros (v. 1527 et suivants)
il proclame son innocence (v. 1561).

• *Mais la mort de Phèdre* et *l'aveu volontaire* de son crime sont les éléments décisifs du dénouement (v. 1622-1644).

• Alors *pour expier* Thésée réhabilite Hippolyte (v. 1651)
se réconcilie avec Aricie (v. 1653-4).

Ainsi le sacrifice est consommé
mais : Phèdre s'est-elle rachetée?
Que sera désormais la vie de Thésée?

Documents

1 Euripide

Le premier grand modèle est Euripide. Voici, brièvement résumé, son *Hippolyte*, qui fut joué en 432 avant J.-C. Au prologue, la déesse Aphrodite déclare qu'elle va se venger d'Hippolyte qui refuse de l'honorer. L'instrument de la vengeance sera Phèdre à qui elle a inspiré un amour criminel pour son beau-fils. Thésée, qui est absent, apprendra à son retour la vérité et Hippolyte sera tué. Avec ses chasseurs Hippolyte arrive sur la scène pour adorer la déesse Artémis. Chœur des femmes de Trézène qui voudraient connaître les raisons des souffrances de Phèdre. C'est alors que la nourrice adjure la Reine de lui avouer son secret :

> *(A Phèdre.)* Sache-le pourtant — doivent ces raisons te trouver plus intraitable que la mer — si tu meurs, tu trahis tes fils : ils n'auront point de part au bien paternel, j'en atteste la royale Cavalière, l'Amazone qui à tes enfants donna pour maître un bâtard aux prétentions de fils légitime — tu le connais bien, Hippolyte.
>
> PHÈDRE. — Las!
>
> LA NOURRICE. — Voilà qui te touche?
>
> PHÈDRE. — Ah! mère, tu me tues. Par les dieux, je t'implore : sur cet homme fais le silence désormais!
>
> LA NOURRICE. — Tu vois? Tu as ta raison, et, avec ta raison, tu refuses de servir tes enfants et de sauver ta vie.
>
> PHÈDRE. — J'aime mes fils; mais c'est bien une autre tourmente!
>
> LA NOURRICE. — Tes mains, ma fille, sont-elles pures de sang?
>
> PHÈDRE. — Mes mains sont pures; c'est mon cœur qui est souillé.
>
> LA NOURRICE. — Par quel maléfice, œuvre d'un ennemi?
>
> PHÈDRE. — Malgré moi, malgré lui, un ami fait ma perte.
>
> LA NOURRICE. — Thésée a-t-il commis envers toi quelque faute?
>
> PHÈDRE. — Qu'on ne me voie jamais lui faire tort, à lui!
>
> LA NOURRICE. — Quel est donc cet effroi qui te pousse à mourir?
>
> PHÈDRE. — Ah! laisse-moi faillir! Ce n'est pas envers toi.
>
> LA NOURRICE. — *(S'agenouillant et saisissant la main de Phèdre.)* Si j'échoue, ce sera malgré moi, par ton fait.
>
> PHÈDRE. — Quoi! tu me fais violence, attachée à ma main?
>
> LA NOURRICE. — *(Embrassant les genoux de la reine)*. Et même à tes genoux, pour ne plus les lâcher.
>
> PHÈDRE. — Malheur à toi, infortunée, si tu l'apprends!

LA NOURRICE. — Quoi de pire pour moi que ne pas te toucher?
PHÈDRE. — Tu en mourras. Pourtant la chose est à ma gloire.
LA NOURRICE. — Et tu caches ce beau secret à mes prières?
PHÈDRE. — De la honte je cherche à sortir noblement.
LA NOURRICE. — Parle donc, et tu y gagneras de l'honneur.
PHÈDRE. — Va-t'en, au nom des dieux, et lâche-moi la main!
LA NOURRICE. — Non, puisque tu m'envies la faveur qui m'est due.
PHÈDRE. — Tu l'auras : je respecte ta main vénérable.
LA NOURRICE. — *(Elle fait signe aux servantes, qui disparaissent.)* Je me tais donc; à toi de parler désormais.
PHÈDRE. — O mère infortunée, quel amour fut le tien!
LA NOURRICE. — Pour un taureau, ma fille? Ou bien que veux-tu dire?
PHÈDRE. — Et toi, ma pauvre sœur, qu'épousa Dionysos...
LA NOURRICE. — Mon enfant, qu'as-tu donc? Tu insultes les tiens?
PHÈDRE. — La troisième à mon tour, je meurs, infortunée!
LA NOURRICE. — La stupeur m'a saisie. Où vas-tu en venir?
PHÈDRE. — C'est de là, non d'hier, que date mon malheur.
LA NOURRICE. — Je n'en sais pas plus long sur ce que je désire.
PHÈDRE. — Las! Que ne me dis-tu les mots que je dois dire?
LA NOURRICE. — Je ne suis pas devin pour voir dans les ténèbres.
PHÈDRE. — Qu'est-ce donc qu'on appelle amour chez les humains?
LA NOURRICE. — Rien n'est plus doux, ma fille, ni amer tout ensemble.
PHÈDRE. — Je n'en aurai goûté, pour moi, que l'amertume.
LA NOURRICE. — Quoi! tu aimes, ma fille? Est-ce un homme, et lequel?
PHÈDRE. — Celui-là — homme ou non — qu'enfanta l'Amazone.
LA NOURRICE. — Hippolyte, dis-tu?
PHÈDRE. — C'est toi qui l'as nommé.
LA NOURRICE. — Hélas! Que vas-tu dire, ma fille? Tu m'as frappée à mort. *(Au Chœur.)* Femmes, je ne vivrai pas pour tolérer l'intolérable. Le jour m'est en horreur, en horreur la lumière. Je précipiterai, je jetterai mon corps, je me délivrerai de la vie par la mort. Adieu! C'est fait de moi, puisque la vertu, bien que sans le vouloir, brûle de feux coupables. Ah! Cypris, je le vois, n'est pas une déesse, mais plus qu'une déesse, s'il est possible : elle a fait la perte de cette infortunée, la mienne et celle de la maison.

(EURIPIDE, *Hippolyte,* Les Belles-Lettres, v. 304-361.)

Mais sur les conseils de la nourrice, Phèdre accepte d'espérer. Or elle entend Hippolyte injurier la nourrice qui est allée lui parler de son amour. Le Prince, qui avait promis de garder le silence, se lance dans une profession de foi antiféministe. Phèdre chasse la nourrice. Une servante vient nous apprendre peu de temps après que la Reine s'est pendue. Mais Thésée, qui est revenu, trouve dans la main de Phèdre des tablettes sur lesquelles, avant de mourir, elle a accusé Hippolyte de l'avoir violentée. Dans sa fureur, Thésée implore Poseidon-Neptune de châtier Hippolyte. Bien qu'il ait juré de se taire, le jeune homme tente de se disculper mais son père le chasse. Lamentations du chœur sur le destin d'Hippolyte. Un messager est déjà là, qui annonce la mort du héros. Voici un extrait de ce long récit :

> Nous entrions dans un pays désert où, par-delà ce territoire, il est un rivage qui s'étend vers le golfe Saronique, quand une rumeur en partit, semblable au tonnerre souterrain de Zeus, exhalant un grondement profond, effroyable à entendre. Levant la tête vers le ciel, les chevaux dressèrent l'oreille, et parmi nous c'était une terreur violente, à chercher d'où pouvait provenir ce bruit. Vers la rive grondante nous jetons les regards : prodigieuse, une vague nous apparaît, touchant le ciel, au point de dérober à mon regard les falaises de Sciron; elle cachait l'Isthme et le roc d'Asclépios. Puis, s'enflant et rejetant alentour des flots d'écume bouillonnante, elle s'avance vers la rive, à l'endroit où était le quadrige. Et avec la triple lame qui déferle, le flot vomit un taureau sauvage, monstrueux; la terre entière, emplie de son mugissement, y répond par un écho effroyable, et c'était pour les témoins un spectacle insoutenable aux regards. Aussitôt sur les coursiers s'abat une panique affreuse; le maître, avec sa longue habitude des chevaux, saisit les rênes à deux mains; il tire, comme un matelot qui ramène la rame; il se rejette en arrière, sur les courroies pesant de tout son corps. Mais les cavales, mordant de leurs mâchoires le frein, fils de la flamme, s'emportent, sans souci de la main du pilote, ni des sangles, ni du char bien ajusté. Vers un sol uni, gouvernail en main, dirigeait-il leur course? apparaissant à l'avant, le taureau faisait faire volte-face au quadrige affolé de terreur; s'élançaient-elles sur les rocs, dans leur délire? s'approchant en silence, il suivait le rebord du char. Finalement il fit choir et culbuta le véhicule, en jetant la roue sur un rocher. Tout était confondu : les moyeux des roues volaient en l'air, et les clavettes des essieux. Lui-même, l'infortuné, enlacé dans les rênes, il se voit entraîné, pris à ce lien inextricable; sa pauvre tête est broyée contre les rocs; son corps brisé, et il pousse des cris affreux à entendre :

« Arrêtez, cavales nourries à mes crèches, ne m'effacez pas des vivants! O funeste imprécation d'un père! Qui veut venir sauver le plus digne des hommes? » Nous étions plus d'un à le vouloir, mais nos pas distancés demeuraient en arrière. Enfin dégagé, je ne sais comment, de l'entrave des lanières, il tombe, ayant encore un faible souffle de vie; les chevaux avaient disparu, avec le fatal et monstrueux taureau, j'ignore en quel endroit des rochers.

(EURIPIDE. *Hippolyte*. Édition Belles-Lettres, v. 1198-1248.)

Sur ces entrefaites, Artémis vient révéler à Thésée la machination d'Aphrodite. Hippolyte vient expirer sur la scène. Artémis le console et lui demande de se réconcilier, avant de mourir, avec son père.

2 Sénèque

Le second modèle antique est la *Phædra* de Sénèque, écrivain latin du premier siècle après J.-C. La scène se passe à Athènes. Hippolyte, servant de Diane, ne rêve que de chasse. Mais déjà Phèdre s'avance, déplorant sa destinée. Abandonnée par Thésée qui est parti pour les Enfers, Phèdre déclare qu'elle ne peut rien contre la passion qui la pousse vers Hippolyte. La nourrice effrayée supplie sa maîtresse de ne pas se déshonorer. La Reine avoue qu'il ne lui reste plus qu'à se tuer. Affolée la nourrice promet de tenter une démarche auprès d'Hippolyte. Chœur des Athéniens qui célèbre la toute-puissance du dieu Amour. Délire de Phèdre. Démarche de la nourrice auprès d'Hippolyte qui proclame sa haine des femmes. Phèdre se précipite, s'évanouit dans les bras d'Hippolyte, revient à elle. En fils chaste et respectueux, le jeune homme cherche à la consoler. Mais refusant le nom de mère qu'il vient de lui donner, elle lui déclare sa folle passion :

PHÈDRE. — Le nom de mère est trop imposant et trop présomptueux : un nom plus humble convient plus à mes sentiments. Appelle-moi ta sœur, ô Hippolyte, ou ton esclave. Ton esclave plutôt; oui, je supporterais toutes les charges de l'esclavage. Je n'hésiterais pas, si tu m'ordonnais de marcher à travers la neige épaisse des monts, à fouler les cimes glacées du Pinde, et si tu m'ordonnais de braver les feux et les cohortes des ennemis, je ne balancerais pas pour offrir mon sein à leurs glaives menaçants. Reçois le sceptre qui me fut confié et fais de moi ton esclave; c'est à toi qu'il convient de régner et à moi d'obéir. Ce n'est pas à une femme que doit incomber la tâche de défendre le royaume d'un homme; à toi, qui es dans toute la fleur printanière de la vigueur juvénile, d'exercer avec fermeté sur tes concitoyens la puissance de ton père et de m'accueillir dans ton sein protecteur en suppliante et en esclave. Pitié pour une veuve!

HIPPOLYTE. — Que le souverain des dieux détourne ce présage funeste! Mon père reviendra bientôt sain et sauf.

PHÈDRE. — Le maître de l'avare Achéron et du Styx silencieux ne permet point de remonter vers le monde des vivants une fois qu'on l'a quitté; va-t-il lâcher le ravisseur de sa propre épouse? Mais peut-être Pluton lui-même est-il indulgent pour l'amour.

HIPPOLYTE. — Certes les dieux du ciel, dans leur équité, nous accorderont son retour, mais tant que la divinité nous laissera douter que nos vœux soient exaucés, j'entourerai mes frères chéris de l'affection que je leur dois et je ferai en sorte que tu ne te croies pas veuve; je tiendrai moi-même auprès de toi la place de mon père.

PHÈDRE *(à part.)* — O crédule espoir des amants! O amour trompeur! En ai-je dit assez? Pressons-le de nos prières. *(Haut à Hippolyte.)* Aie pitié de moi : comprends les muettes supplications de mon âme. Je veux parler et je n'ose.

HIPPOLYTE. — Quel est donc ton mal?

PHÈDRE. — Un mal dont on ne croirait pas qu'une marâtre puisse être atteinte.

HIPPOLYTE. — Tu lances d'une voix hésitante des mots obscurs. Parle ouvertement.

PHÈDRE. — La flamme ardente d'une passion insensée brûle mon cœur : sa fureur bouillonne jusqu'au plus profond de mes moelles et parcourt mes veines; mes entrailles recèlent ce feu caché, cet amour secret, semblable à l'incendie dont les flammèches rapides courent à travers les lambris élevés d'un édifice.

HIPPOLYTE. — C'est sans doute ton chaste amour pour Thésée qui te jette dans ce délire?

PHÈDRE. — Oui, Hippolyte; c'est cela. Ce sont les traits de Thésée que j'aime, ses traits de jadis, ceux qu'il avait encore adolescent quand ses joues virginales s'ombrageaient d'une barbe naissante, quand il visita la ténébreuse demeure du monstre de Gnosse en tenant un long fil qui suivait tous les détours de sa route. Ah! de quelle beauté il brillait alors! Des bandelettes pressaient sa chevelure; l'incarnat de la pudeur teignait ses joues délicates; ses jeunes bras avaient déjà des muscles vigoureux; il avait le visage de ta Phébé ou de mon Phébus ou plutôt encore le tien — oui, il était bien tel, tel que cela, quand il plut à son ennemie même. C'est ainsi qu'il levait fièrement la tête; mais tu brilles encore davantage dans ta beauté dénuée d'artifice; ton père revit en toi tout entier et pourtant il se mêle également à cette ressemblance je ne sais quelle grâce un peu

> sauvage qui te vient de ta mère : oui, sur ton visage de Grec apparaît la rudesse d'un Scythe. Si tu étais entré avec ton père dans les eaux de la Crète, c'est à toi que ma sœur aurait plutôt destiné le fil de ses fuseaux. C'est toi, ma sœur, c'est toi que j'invoque, quelle que soit la partie du firmament où tu brilles, pour une cause semblable à la tienne : une seule famille nous a séduites toutes deux, ma sœur : toi le père, et moi le fils. *(A Hippolyte.)* Vois couchée, suppliante, à tes genoux où elle tombe, la fille d'une royale maison! Moi qui ne fus jamais souillée d'aucune tache, moi qui, jusqu'ici, suis restée pure et innocente, c'est pour toi seul que je suis devenue coupable. C'est bien résolument, va, que je me suis abaissée à ces prières : ce jour terminera ma douleur ou ma vie. Aie pitié d'une amante.
>
> (SÉNÈQUE, *Phœdra,* Les Belles-Lettres, v. 610-671.)

Horrifié, le jeune homme tire son épée mais refuse au dernier moment de tuer la Reine et s'enfuit en jetant son arme. C'est ce glaive abandonné qui va servir à accuser le jeune homme au retour de Thésée. Le Roi alors maudit son fils, invoque Neptune. Lamentations du chœur. Déjà un messager arrive, annonçant la mort d'Hippolyte. A peine le Prince a-t-il quitté Athènes qu'un monstre effroyable jaillit des flots. Voici le récit de l'attaque de la bête et de la mort d'Hippolyte :

> Il y a une route élevée qui va vers Argos : elle est taillée dans le roc et borde de très près les flots de la mer qu'elle surplombe; c'est là que la monstrueuse et massive créature s'excite et se prépare à faire rage. Dès qu'elle s'est animée, dès qu'elle a assez préludé à son attaque par des essais, elle s'envole d'un bon rapide, effleurant à peine le sol dans sa course vertigineuse, et se dresse, menaçante, devant les coursiers tremblants. De son côté, ton fils se lève en la bravant d'un air superbe, sans changer de visage, et, d'une voix tonnante, il s'écrie : « Ce vain épouvantail n'abat point mon courage : car c'est pour moi une tâche héréditaire que de vaincre les taureaux. » Mais voici que ses chevaux, cessant aussitôt d'obéir au mors, entraînent le char et, s'écartant déjà du chemin, s'en vont, emportés, partout où les lance leur folle frayeur : ils se jettent au milieu des rochers. Lui, comme un pilote qui, lorsque la mer est en furie, ralentit son navire pour qu'il ne soit pas pris de flanc par les lames et trompe par son adresse la vague, il gouverne son attelage galopant; tantôt il tire sur la bouche des coursiers en serrant violemment les rênes, tantôt il frappe à coups redoublés leur croupe de son

fouet pour les maîtriser. L'autre les suit en compagnon obstiné, et tantôt il marche du même pas, tantôt il vient au contraire à leur rencontre, redoublant de toute part leur épouvante. Enfin, il ne leur permet pas de fuir davantage, car ce monstre cornu venu de la mer se dresse, effroyable, devant eux, de toute sa largeur. Alors les coursiers cabrés par leur épouvante, rebelles à leur maître, s'efforcent de s'arracher à son joug et, tout droits sur leurs pattes de derrière, ils jettent à bas le char qui les entrave. Lui tombe la tête la première et, dans sa chute, embarrasse son corps dans les rênes, où il reste pris : plus il se débat, plus il resserre ces liens tenaces. Les chevaux s'aperçoivent de leur exploit et sans maître ils se ruent avec ce char allégé du côté où l'effroi les entraînait.

Ainsi, à travers les airs, ne reconnaissant pas sa charge accoutumée et s'indignant que le « char du jour » eût été confié à un faux Soleil, l'attelage de Phaéton le précipita du ciel où il errait. Il ensanglante les champs de longues traînées, sa tête se brise en rebondissant sur les rocs, les ronces arrachent ses cheveux, les durs cailloux maltraitent son beau visage, et sa fatale beauté succombe à mainte blessure. Son corps moribond est emporté par les roues qui tourbillonnent rapidement; enfin, tandis qu'il est ainsi entraîné, un tronc dont la souche était à demi brûlée le retient de sa pointe fichée en plein milieu de son aine, et l'attelage est arrêté un moment par l'obstacle, où son maître reste accroché. Son empalement immobilise les deux chevaux du char. Mais ils déchirent à la fois leur entrave et leur maître. Puis ce corps palpitant est mis en pièces par les broussailles, les buissons d'épines, les ronces aiguës; tous les troncs arrachent un lambeau de ce cadavre. La funèbre troupe de ses serviteurs erre à travers la plaine par la route où Hippolyte a été mis en pièces et dont une longue traînée de sang jalonne l'étendue, et ses chiens affligés suivent les traces sanglantes de leur maître. Malgré notre labeur assidu, notre douleur n'a pas encore réussi à rassembler tout son corps.

(SÉNÈQUE, *Phœdra,* Les Belles-Lettres, v. 1035-1110.)

Lamentations de Thésée et du chœur. Phèdre vient pleurer Hippolyte avant de se donner la mort. Dans son désespoir, Thésée serre sur son cœur les restes sanglants d'Hippolyte et ordonne de préparer un bûcher pour son fils et un tombeau pour la Reine.

3 Ovide

Dans le quinzième livre des *Métamorphoses* d'Ovide, poète latin du siècle d'Auguste, Hippolyte console la nymphe Egérie en lui racontant ses propres malheurs. A vrai dire, c'est essentiellement le récit de sa mort qu'il lui fait. Voici ce récit, car c'est peut-être lui qui nous paraît le plus proche de celui de Racine :

> Bien qu'innocent, je fus chassé de la ville par mon père, qui, à mon départ, appelle sur ma tête la malédiction avec des imprécations chargées de haine. Sur le char qui m'emportait en exil, je gagnais la ville de Pittheus, Trézène, et je longeais maintenant les bords de la mer de Corinthe, quand l'onde se souleva, et l'on vit une énorme masse d'eau s'arrondir et grossir à l'image d'une montagne. Elle pousse des mugissements et se fend à son sommet. Par la déchirure de l'onde jaillit un taureau armé de cornes, qui, dressé jusqu'à la poitrine dans les airs légers, vomit à flots par ses naseaux et sa gueule béante l'eau de la mer. La terreur envahit le cœur de mes compagnons; le mien resta insensible à la peur, tout occupé par la pensée de l'exil. Alors, mes ardents coursiers tournent le cou vers la mer; leurs oreilles se dressent, leur poil se hérisse; affolés par la crainte du monstre, ils s'emportent, entraînant le char à travers des rochers escarpés. Moi, je m'efforce d'une main impuissante de leur faire sentir le mors que souille une blanche écume; je me renverse, je tire en arrière sur les rênes flexibles. Et certes la frénésie de mes chevaux n'eût pas eu raison de mes forces, si l'une des roues, au point où elle est emportée dans un mouvement ininterrompu autour de l'essieu, ne s'était, en heurtant une souche, brisée et n'avait volé en éclats. Je suis précipité de mon char et, comme je restai embarrassé dans les rênes, tu aurais eu le spectacle de mes entrailles traînées vives, de mes muscles accrochés à un tronc, de la dispersion de mes membres, les uns emportés, les autres retenus sur place, de mes os se brisant avec un bruit sourd, de mon dernier souffle exhalé dans l'épuisement; tu n'aurais pu reconnaître aucune partie de mon corps, qui, tout entier, n'était plus qu'une plaie.

(OVIDE, *Les Métamorphoses*, éd. Garnier, Livre XV. v . 504-529.)

4 Les sources françaises

Assez nombreux, on le sait, sont les auteurs français à avoir mis en scène la légende de *Phèdre et d'Hippolyte.* Sans compter les sujets qui s'y rattachent comme l'*Ariane* de Thomas Corneille. Sans compter l'essentiel, c'est-à-dire les propres œuvres grecques de Racine, *Andromaque* et *Iphigénie*, qui naturellement devaient mener à *Phèdre*, ces trois œuvres composant incontestablement la plus rare trilogie de notre théâtre tragique. Mais a-t-on mis assez en évidence le rôle qu'ont dû jouer dans l'imagination de Racine les admirables romans d'amour du Moyen Age que le poète devait connaître au moins dans leur version populaire? On pense à *Tristan et Iseult* où la jalousie se mêle à l'amour et à la mort, où le philtre magique symbolise cette fatalité qui laisse tout remords impuissant. On pense surtout à la belle et tragique histoire de cette *Châtelaine de Vergi* (roman en vers du XIIIe siècle) qui aime d'amour secret son chevalier. Mais, jalouse, la duchesse de Bourgogne accuse le jeune homme d'avoir voulu la séduire. Pour se disculper le chevalier avoue au duc de Bourgogne sa passion. La châtelaine ne peut survivre à la calomnie de la duchesse. Le chevalier se tue et de la même épée le duc tue la duchesse puis, pour expier, il entre dans l'ordre des Templiers. Tous ces personnages n'annoncent-ils pas déjà Thésée, Hippolyte, Phèdre, Aricie?

Mais revenons au XVIIe siècle où c'est principalement le *Bellérophon* de Quinault qui attire l'attention. Le sujet est déjà celui de *Phèdre :* le héros est persécuté par la princesse Sténobée qui l'aime secrètement, alors qu'il soupire ailleurs. Elle l'accuse, auprès de son fiancé, d'avoir voulu la séduire. Chassé de la ville, il doit affronter un monstre, la Chimère. Mais Bellérophon triomphe : la princesse qui l'a cru mort, avoue son crime avant de se tuer. Voici le récit de ce combat qui prélude déjà au récit de Théramène :

> Nous marchions à grands pas dans un profond silence,
> Quand à côté de nous, au fond du bois prochain,
> D'horribles hurlements ont retenti soudain.
> A ce bruit qui pénètre et transit jusqu'à l'âme,
> A travers des bouillons de fumée et de flamme,
> Paraît ce Monstre affreux que le Ciel en courroux
> A tiré des enfers pour s'armer contre nous.
> A l'entendre, à le voir, tout tremble, tout frémit :
> Le jour même est troublé de noirs feux qu'il vomit.
> A ce terrible objet de mortelles alarmes
> Font fuir tous nos soldats, leur font jeter les armes.
> Le seul Bellérophon, ferme dans ce danger,
> D'un regard intrépide ose l'envisager.

Je fais tourner son char pour regagner la Ville;
Mais il rend malgré moi tout mon soin inutile;
Il s'élance, et saisit, en se jetant à bas,
Des armes que la peur fait jeter aux soldats,
Non par un vain espoir de faire résistance
Contre un monstre au-dessus de l'humaine puissance,
Mais pour chercher encor dans un trépas certain
L'honneur d'être immolé les armes à la main. (V. 3.)

Mais Bellérophon ne doit pas succomber : il tue le monstre, lui crève un œil, il lui perce le flanc.

Le coup en est mortel : le Monstre qui se roule
S'efforce d'avaler tout son sang qui s'écoule,
Épuise à se débattre un reste de vigueur
Et tombe enfin sans vie aux pieds de son vainqueur. (V. 4.)

5 La « Phèdre » de Pradon

Malgré qu'il en ait, Jacques Pradon, à l'ombre de Racine, a sa rançon de gloire. Si aucun extrait d'une œuvre dépourvue de vraisemblance, de poésie, d'intérêt dramatique, de sens tragique tout court, ne mérite d'être cité, notons du moins les principales péripéties de la pièce.

ACTE I

SCÈNE 1 Fuyant Phèdre, la fiancée de Thésée (Pradon suit ainsi tous les modernes), Hippolyte confie à son gouverneur Idas qu'il veut quitter Trézène pour aller à la recherche de son père : en réalité, il aime en secret.
SCÈNE 2 Il aime en effet Aricie à qui il se déclare mais qui lui reproche de ne pas aimer assez Phèdre.
SCÈNE 3 Phèdre avoue à Aricie qu'elle veut abandonner Thésée pour Hippolyte.
SCÈNE 4 C'est pourquoi Aricie veut faire partir Hippolyte.

ACTE II

SCÈNE 1 Aricie demande à Hippolyte de se méfier de Phèdre et de partir.
SCÈNE 2 Phèdre engage Hippolyte à aimer et se met sous sa tutelle. Hippolyte retarde son départ et avoue qu'il aime.
SCÈNE 3 Espoir de Phèdre.

SCÈNES 4 5 6 Retour de Thésée et fuite de Phèdre.
SCÈNE 7 Thésée demande à Hippolyte si Phèdre a regretté son absence : gêne du jeune homme.

ACTE III

SCÈNE 1 Phèdre se méfie d'Aricie qui l'a ramenée à la vie.
SCÈNE 3 Thésée, prévenu par un oracle, de l'infortune qui l'attend, engage Phèdre à favoriser le mariage d'Hippolyte et d'Aricie.
SCÈNE 3 Fureur de Phèdre.
SCÈNE 4 Phèdre se déclare à Hippolyte après que ce dernier lui a déclaré qu'il aimait Aricie. Protestation d'Hippolyte, fureur de Phèdre qui menace tout le monde.
SCÈNE 5 Angoisse d'Hippolyte.

ACTE IV

SCÈNE 1 Jalousie de Thésée qui veut bannir Hippolyte car ce dernier a refusé Aricie (?) qu'il trouve trop jeune.
SCÈNE 2 Devant Thésée, Phèdre plaide pour Hippolyte tout en l'accusant.
SCÈNE 3 Inquiétude de Phèdre.
SCÈNE 4 Hippolyte prie à genoux Phèdre d'aimer Thésée.
SCÈNES 5 6 Thésée, qui a surpris Hippolyte dans cette posture, implore la vengeance de Neptune.

ACTE V

SCÈNE 1 Phèdre demande pardon à Aricie.
SCÈNE 2 Inquiétude d'Aricie.
SCÈNE 3 Elle accuse Phèdre devant Thésée qui se lamente.
SCÈNE 4 Mégiste annonce que Phèdre a quitté la ville.
SCÈNE 5 Idas vient raconter la mort d'Hippolyte et celle de Phèdre qui s'est tuée sur le cadavre du jeune homme.

6 De l'opéra au cinéma

• *L'opéra.*

Racine n'a pas manqué d'être sensible à la mode croissante de l'opéra au moment où il écrivait sa pièce. *Phèdre* en effet comporte tous les éléments propres au genre : la présence du surnaturel, l'alliance du lyrisme et de l'épopée, le caractère spectaculaire de certaines scènes. Il est donc normal que Rameau ait repris en grande partie l'œuvre de Racine pour créer avec succès, en 1733, *Hippolyte et Aricie*. Bien que l'optique en soit différente, car les lois du romanesque cher au XVIIIe siècle exigent que Phèdre s'oppose en vain au mariage d'Hippolyte et d'Aricie, Rameau a gardé les vers et les situations de la pièce de Racine. Évidemment l'opéra présente directement sur la scène la descente de Thésée aux Enfers et le combat d'Hippolyte, lequel, du reste, ressuscitera, conformément à la légende latine.

• *Le cinéma.*

Ce genre moderne où tous les genres collaborent se devait de mettre en scène le thème de *Phèdre*. C'est ainsi que Jules Dassin a tourné il y a quelques années *Phædra*. Transposition sans doute intéressante : ainsi l'atmosphère royale et légendaire est remplacée par celle de riches armateurs grecs; le char d'Hippolyte devient une belle voiture de sport; l'exil à Trézène, c'est l'Angleterre, où le jeune homme achève ses études. Sans doute une musique très belle accompagne de très belles images de la Grèce. Mais pourquoi faut-il que cet admirable drame du mal et du bien qu'est la *Phèdre* d'Euripide ou celle de Racine soit à ce point terni par des raisons sans doute commerciales, et qu'Hippolyte s'empresse de succomber aux puissants attraits de sa belle-mère? On rêve d'un autre film...

Jugements

1 Après la cabale de Phèdre, l'hommage consolateur d'un ami : Boileau.

Que tu sais bien, Racine, à l'aide d'un acteur,
Émouvoir, étonner, ravir un spectateur!
Jamais Iphigénie en Aulide immolée
N'a coûté tant de pleurs à la Grèce assemblée,
Que dans l'heureux spectacle à nos yeux étalé
En a fait sous son nom verser la Champmeslé.
Ne crois pas toutefois, par tes savants ouvrages,
Entraînant tous les cœurs, gagner tous les suffrages.
Sitôt que d'Apollon un génie inspiré
Trouve loin du vulgaire un chemin ignoré,
En cent lieux contre lui les cabales s'amassent;
Ses rivaux obscurcis autour de lui croassent,
Et son trop de lumière, importunant les yeux,
De ses propres amis lui fait des envieux;
La mort seule ici-bas, en terminant sa vie,
Peut calmer sur son nom l'injustice et l'envie,
Faire au poids du bon sens peser tous ses écrits,
Et donner à ses vers leur légitime prix. (...)
Que peut contre tes vers une ignorance vaine?
Le Parnasse français, ennobli par ta veine,
Contre tous ces complots saura te maintenir,
Et soulever pour toi l'équitable avenir.
Eh! qui, voyant un jour la douleur vertueuse
De Phèdre malgré soi perfide, incestueuse,
D'un si noble travail justement étonné,
Ne bénira d'abord le siècle fortuné
Qui, rendu plus fameux par tes illustres veilles,
Vit naître sous ta main ces pompeuses merveilles?

(*Épître VII*, 1677.)

2 Le témoignage d'un admirateur du Grand Siècle : Voltaire.

• *Sur Racine et son temps :*

Corneille s'était formé tout seul; mais Louis XIV, Colbert, Sophocle et Euripide, contribuèrent tous à former Racine (...). Racine passa de bien loin et les Grecs et Corneille dans l'intelligence des passions, et porta la douce harmonie de la poésie, ainsi que les grâces de la parole, au plus haut point où elles puissent parvenir. (*Le Siècle de Louis XIV*, 1751.)

• *Sur le poète :*

Si on peut condamner en lui (Racine) quelque chose, c'est de s'être quelquefois contenté de l'élégance, de n'avoir que touché le cœur, quand il pouvait le déchirer. Mais tel qu'il est, je le crois le plus parfait de nos poètes. (*Commentaires sur Corneille*, 1764.)

• *Sur Phèdre :*

Ce rôle est le plus beau qu'on ait jamais mis sur le théâtre dans aucune langue. (*Dictionnaire philosophique :* « *Amplification* », 1763.)

3 Le sentiment d'un Romantique : Chateaubriand.

Nous pourrions nous contenter d'opposer à Didon la Phèdre de Racine, plus passionnée que la reine de Carthage : elle n'est en effet qu'une *épouse chrétienne*. La crainte des flammes vengeresses et de l'éternité formidable de notre Enfer, perce à travers le rôle de cette femme criminelle, et surtout dans la scène de la jalousie, qui, comme on le sait, est de l'invention du poète moderne. L'inceste n'était pas une chose si rare et si monstrueuse chez les anciens, pour exciter de pareilles frayeurs dans le cœur du coupable. Sophocle fait mourir Jocaste, il est vrai, au moment où elle apprend son crime, mais Euripide la fait vivre longtemps après. Si nous en croyons Tertullien, les malheurs d'Œdipe n'excitaient chez les Macédoniens que les plaisanteries des spectateurs. Virgile ne place pas Phèdre aux Enfers, mais seulement dans ces bocages de myrtes, « *dans ces champs des pleurs, lugentes campi* », où vont errant ces amantes, qui, « *même dans la mort, n'ont pas perdu leurs soucis* ». (Énéide VI, 444).

Aussi la Phèdre d'Euripide, comme celle de Sénèque, craint-elle plus Thésée que le Tartare. Ni l'une ni l'autre ne parle comme la Phèdre de Racine :

Moi jalouse ! et Thésée est celui que j'implore !... (IV, sc. 6, v. 1255-1294).

Cet incomparable morceau offre une gradation de sentiments, une science de la tristesse, des angoisses et des transports de l'âme, que les anciens n'ont jamais connues. Chez eux, on trouve pour ainsi dire des ébauches de sentiments, mais rarement un sentiment achevé; ici, c'est tout le cœur :

C'est Vénus toute entière à sa proie attachée !

et le cri le plus énergique que la passion ait jamais fait entendre, est peut-être celui-ci :

Hélas! du crime affreux dont la honte me suit,
Jamais mon triste cœur n'a recueilli le fruit.

Il y a là-dedans un mélange des sens et de l'âme, de désespoir et de fureur amoureuse, qui passe toute expression. Cette femme, qui se consolerait d'une éternité de souffrance, si elle avait joui d'un instant de bonheur, cette femme n'est pas dans le caractère antique; c'est la chrétienne réprouvée, c'est la pécheresse tombée vivante entre les mains de Dieu : son mot est le mot du damné.

(*Génie du christianisme*, Seconde partie, 1802.)

4 Deux critiques de notre temps : Mauriac et Valéry.

A l'inquiétude de Mauriac, romancier chrétien, imprégné de jansénisme, semble répondre l'angoisse infinie de l'héroïne racinienne :

Nous aimons Phèdre pour ses moments d'humilité. Elle ne se défend pas; elle connaît son opprobre; l'étale aux pieds même d'Hippolyte. L'excès de sa misère nous apparaît surtout lorsque, lui ayant décrit son triste corps qui a langui, qui a séché dans les feux, dans les larmes, elle ne peut se retenir de crier à l'être qui est sa vie (rien de plus déchirant n'est jamais sorti d'une bouche humaine) :

Il suffit de tes yeux pour t'en persuader,
Si tes yeux un moment pouvaient me regarder.

Prodigieuse lucidité. Où cette nouvelle Hermione, cette dernière incarnation de Roxane, a-t-elle appris à se connaître? Hermione n'erre plus en aveugle dans le palais de Pyrrhus. Roxane est sortie du sérail obscur. Sous les traits de Phèdre, elles entrent en pleine lumière et soutiennent en frémissant la vue du soleil sacré. « Il faut aller jusqu'à l'horreur quand on se connaît... » écrit Bossuet au maréchal de Bellefonds. Phèdre va jusqu'à cette horreur. Elle est fille des dieux, fille du ciel; elle le sait, de cette même science qui était celle de Racine dans le temps où il l'a mise au monde. Lui aussi, dès qu'il a commencé de balbutier, ce fut pour adorer le Père qui est au ciel; et à travers tous les désordres où sa jeunesse l'engagea, il ne perdit point le souvenir de sa filiation divine. Dans le pire abaissement, le chrétien se connaît comme fils de Dieu.

Mais Phèdre ignore le Dieu qui nous aime d'un amour infini. Son cœur malade ne peut se tourner vers ce juge dont elle n'attend rien qu'un supplice nouveau propre à châtier son crime. Aucune goutte de sang n'a été versée pour cette âme. Elle est de ces misérables que les maîtres du petit Racine frustrent sereinement du bénéfice de la Rédemption. Ils avaient une pire croyance : ils ne doutaient pas que le Dieu tout-puissant ait voulu aveugler et perdre telles de ses créatures. Leur Divinité rejoignait le *Fatum :* un Destin qui ne serait pas aveugle, terriblement attentif au contraire à la perte des âmes réprouvées dès avant leur naissance.

Phèdre traîne après elle une immense postérité d'êtres qui savent ne pouvoir rien attendre ni espérer, exilés de tout amour, sur une terre déserte, sous un ciel d'airain. Nous retrouvons, à chaque tournant de notre route, sa figure morte, ses lèvres sèches, ses yeux brûlés qui demandent grâce; tristes corps perclus de honte et dont le seul crime est d'être au monde.

Qui sauverait Phèdre du désespoir? Et soudain elle découvre une raison de s'y précipiter, du même élan qu'Hermione et que Roxane. L'obstacle surgit qu'elle ignorait; le même contre lequel se sont brisées ses deux furieuses sœurs. Elle se fiait à la chasteté d'Hippolyte, n'imaginait pas qu'elle pût avoir une rivale.... Ah! douleur non encore éprouvée!

Phèdre retombe du rang où sa qualité de fille du ciel l'avait élevée; elle redevient cette bête jalouse qui ne souhaite que de mordre et que de détruire, avant d'être soi-même anéantie. Encore ce piétinement monotone devant une porte infranchissable.

La Vie de Jean Racine, Plon, 1928.

Valéry, poète païen, imprégné d'hellénisme, est surtout sensible à la beauté animale de la passion de Phèdre et à la perfection du discours racinien :

L'ouvrage lu, le rideau refermé, il me demeure de *Phèdre* l'idée d'une certaine femme, l'impression de la beauté du discours, — effets et valeurs durables, valeurs d'avenir en moi.

C'est que l'esprit rendu à son naturel, qui est la variété courante de sa débauche de sensations et de pensées, retient sans le savoir, parmi le trésor de ses modèles éventuels et de ses étalons de beauté, ce qui lui importera désormais d'une œuvre révolue. Cela se dégage insensiblement, infailliblement, en lui, de tous les prétextes et combinaisons d'accidents qui durent être assemblés pour que la pièce fût. La trame, l'intrigue, les faits pâlissent promptement et l'intérêt de l'appareil purement dramatique de l'affaire se dissout. Ce ne fut là qu'un crime : inceste désiré et meurtre perpétré par personne interposée, avec un dieu sans doute pour agent d'exécution... Mais que faire d'un crime, une fois l'horreur amortie, la justice apaisée, la mort également étendue à l'innocent et aux coupables, la mort qui se referme comme la mer, sur un système momentané d'événements et d'actes? L'émotion née de la présence et de la condensation du drame s'évanouit avec le décor, tandis que les yeux fixés longtemps, le cœur saisi, se divertissent de la contrainte qu'exerçait sur tout l'être la scène lumineuse et parlante.

Tous, moins la reine; le misérable Hippolyte, à peine fracassé sur la rive retentissante, le Théramène, aussitôt son rapport déclamé, le Thésée, Aricie, Œnone, et Neptune lui-même, l'Invisible, se fondent au plus vite dans leur absence : ils ont cessé de faire semblant d'être, n'ayant été que pour servir le principal dessein de l'auteur. Ils n'avaient point substance de durée et leur histoire les épuise. Ils ne vivent que le temps d'exciter les ardeurs et les fureurs, les remords et les transes d'une femme typiquement *aliénée* par le désir : ils s'emploient à lui faire tirer de son sein racinien les plus nobles accents de concupiscence et de remords que la passion ait inspirés. Ils ne survivent pas, mais Elle survit. L'œuvre se réduit dans le souvenir à un monologue; et passe en moi de l'état dramatique initial à l'état lyrique pur, — car le lyrisme n'est que la transfiguration d'un monologue.

En Phèdre, rien ne voile, n'adoucit, n'ennoblit, n'orne, ni n'édifie l'accès de la rage du sexe. L'esprit, ses jeux profonds, légers, subtils, ses échappées, ses lueurs, ses curiosités, ses finesses, ne se mêlent point de distraire ou d'embellir cette passion de l'espèce la plus simple. Phèdre n'a point de lecture. Hippolyte est peut-être un niais. Qu'importe? La Reine incandescente n'a besoin d'esprit que comme instrument de vengeance, inventeur de mensonges, esclave de l'instinct. Et quant à l'âme, elle se réduit à son pouvoir obsédant, à la volonté dure et fixe de saisir, d'induire à l'œuvre vive sa victime, de geindre et de mourir de plaisir avec elle.

Variété : Sur Phèdre femme, Gallimard, 1942.

Lecture thématique de Phèdre

La nouvelle critique s'est passionnée pour *Phèdre* : étude de Starobinski dans *L'Œil vivant,* thèse de Mauron sur *L'Inconscient dans la vie et l'œuvre de Racine* avec application spéciale à *Phèdre*, essais linguistiques de Spitzer, aperçus du *Sur Racine* de Barthes. A quoi, il faudrait ajouter l'analyse marxiste de Goldmann dans *Le Dieu caché.* Ce qui, d'ailleurs, n'a nui en rien à la solidité de la critique traditionnelle, qu'elle soit de style impressionniste comme celle de T. Maulnier *(Lecture de « Phèdre »)* ou qu'elle ait une visée sociologique comme celle de R. Picard *(La Carrière de Jean Racine).* Ces travaux, en tout cas, aideront à dégager les thèmes qui dans *Phèdre* nous paraissent essentiels. Qu'il faille voir l'œuvre dans sa totalité est une évidence. Nos remarques en fin d'actes nous y conduisaient peu à peu. Aussi pourrons-nous mieux jauger les éléments qui entrent dans la composition de l'ensemble. Notons à cet égard l'apport d'un metteur en scène comme Jean-Louis Barrault. Tant on se plaît à ignorer qu'une pièce est faite, avant tout, pour être jouée et qu'elle vise d'abord à séduire le spectateur. D'où notre premier point : **la représentation tragique.** *Phèdre*, nous le savons, baigne dans une atmosphère où l'histoire brille encore de l'éclat du mythe. Tout y est signification, que nous tenterons d'élucider. Quant à la psychologie, explorée depuis toujours, Barthes a voulu la renouveler en insistant sur la vision sauvage de la *horde* qui se déchaîne devant nous. Et surtout il revenait à la psychocritique (analyse psychanalytique de l'œuvre d'art) de dévoiler des tendances plus profondes. En deuxième point : **la figuration tragique.**

1 La représentation tragique

• *L'espace*

Un espace dilaté

Un palais à Trézène, comme chez Euripide. Mais un palais voûté (*que ces murs, que ces voûtes...*, v. 854) : anachronisme fort symbolique. Un portique (Notice, p. 16) où le soleil, autre symbole, brûle. A la lisière, le lieu où Phèdre meurt, où Hippolyte s'écroule. Et l'absence du Père donne aussitôt à la scène une dimension infinie.
La tragédie s'ouvre et se clôt, avec Hippolyte, sur l'évocation de la mer et de ses bords (Spitzer a relevé dans *Phèdre* la fréquence de l'expression *au bord, sur les bords* qui donne, selon lui, au langage son effet de *sourdine*) où le jeune homme mène son char : lieu et instrument de

sa mort. Même les *forêts* du début, objet du désir de Phèdre et préfiguration du labyrinthe, ont déjà la forme funèbre des tombeaux de l'acte V. L'appel de la mer bat, en réalité, incessant. Elle est pour Hippolyte l'espace réservé au héros. Les exploits de Thésée la sillonnent et y tracent l'épopée. Or Hippolyte est rivé à Trézène, oisif, honteux. Il veut partir. Pour agir et retrouver le Père qu'il aime. Car le Père dont il rougit, c'est aussi sur les rivages qu'il abandonnait ses victimes. C'est pourquoi Hippolyte ne songe qu'à fuir : dans le port *la voile est préparée* (v. 721). Cette idée de *fuite* est l'un des leitmotive de la tragédie (Notice, p. 17).
Phèdre, elle, est fille du labyrinthe. Le ciel l'attire, non la mer. Car de la mer elle a vu jadis jaillir, illusion du bonheur, Thésée. Elle ne peut voir en elle qu'une imposture. Au jeune homme impatient de cingler au large elle oppose son destin d'immobile. Phèdre est condamnée à rester là. **Fuir** et **rester** : deux obsessions qui se répondent et s'annulent. Le bruit courra que le roi a été englouti dans les flots mêmes (v. 382). Œnone s'y précipitera avant qu'un monstre en jaillisse pour déchiqueter Hippolyte. Quant à Phèdre, qui incarne toute la souffrance charnelle, il faut que son corps se consume, se déchaîne, et s'épuise pour s'affaisser là, sur la scène.
La disparition de Thésée avait un instant réparti le monde : la Crète pour Phèdre, Athènes pour Aricie, Trézène pour le Prince. Rêve-dérision : on n'échappe pas à Trézène, c'est-à-dire à soi.

Un espace resserré

A peine Thésée est-il là que toute liberté, rêve de fuite pour Hippolyte et fuite dans le rêve pour Phèdre, est annihilée. La scène se stylise en tribunal où le Juge châtie. Thésée n'en sort que pour aller presser Neptune d'exécuter son vœu. Hippolyte qui voulait fuir sera chassé et banni. Et la nature refermera sur lui son piège.
Phèdre a retrouvé Hippolyte à Trézène où elle l'avait exilé. Arrachée à sa mortelle névrose par son aveu et la disparition de Thésée, elle tente de forcer le destin en se déclarant à Hippolyte, en s'en remettant à Œnone pour le reconquérir et finalement le dénoncer. En réalité, le filet ne faisait que se resserrer de plus en plus sur elle. Le crime commis, elle se terre dans sa chambre où Œnone la tient prisonnière. Mais la *voix redoutable* de Thésée a percé les murs, le sang innocent *crie* à ses oreilles (v. 1170-1171). L'acte IV s'achève sur la vision d'un être qui a rassemblé en soi tout l'espace tragique. L'unité de lieu s'est concentrée en un seul personnage. Le délire de Phèdre matérialise dans son hallucination infernale la nuit et la prison.
Elle ne quittera la scène que pour se réfugier à nouveau dans sa chambre en proie à l'irrésolution la plus affolante. Hippolyte est parti pour affronter Neptune. Il meurt près des tombeaux de ses ancêtres. Théra-

mène revient transfiguré par la douleur. Le lieu tragique se transfigure à son tour en un temple où se récite l'oraison funèbre du héros. Phèdre peut venir s'y confesser, qui, en se tuant, a tué son démon. Thésée promet d'y accueillir solennellement Aricie.

Espace et discours

Phèdre est une tragédie, pas seulement un texte-poème. Si une atmosphère particulière s'en dégage, c'est que le discours est en même temps action. Les origines mythiques des héros, leur réincarnation moderne dans une perspective louis-quatorzienne et janséniste, le langage du temps transmué par le génie de l'auteur : tout cela conspire à la dignité de l'alexandrin racinien. Mais le vers est utilisé à une fin essentiellement théâtrale. Même pour les récits, cette convention des conventions, chacun a sa tonalité propre, éclaire les âmes, influe sur l'événement : récit épique des exploits de Thésée (I, 1), chant lyrique du mal de Phèdre (I, 3), oraison funèbre de la mort d'Hippolyte (V, 6).
Le discours est surtout une arme. Les grandes scènes ne sont que des grands combats : Hippolyte contre lui-même par l'intermédiaire de Théramène, Phèdre contre elle-même par l'intermédiaire d'Œnone. Si Aricie joue un peu avec Hippolyte, elle sait aussi se dresser contre Thésée (V, 3). Et toute la pièce n'est que l'histoire du combat de Phèdre contre Hippolyte. Le discours de Thésée, le seul personnage dépourvu d'imagination, ne vise qu'à l'action : son rôle occupe la moitié de la tragédie.
Une étude thématique de *Phèdre* inclut nécessairement une sorte de structure musicale. Le langage, c'est aussi une question de ton. En sourdine au conflit essentiel, les allusions politiques, les affaires à régler, voire quelque contrepoint précieux. Et dans l'ensemble où cris aux chuchotements se mêlent : lyrisme et épopée des deux premiers actes, accélération dramatique des actes III et IV, retour en finale de l'épopée et du lyrisme.
Le discours non seulement remplit l'espace, mais le distend à volonté. Antichambre, soit ! mais aussi chambre, rivage, mer, îles au loin, vastes campagnes, ciel et enfer. Contribuent encore à la réalité tragique la présence des acteurs, les jeux de la représentation, les indications textuelles. La mise en scène comme la musique est dans le langage même. Une seule fois l'auteur dicte l'attitude de l'héroïne : *Elle s'assit*. Mais nous lisons peu après : *Tu le veux, lève-toi* (v. 246). A Œnone, la suppliante, de se relever. A la fin de son combat avec Hippolyte, où on la vit *à ses pieds peu s'en faut prosternée* (v. 778), Phèdre lui arrache son épée avant qu'on l'*entraîne*. Notons aussi la fréquence des esquives : d'Hippolyte pour éviter Phèdre (I, 2), d'Œnone pour ne pas voir Hippolyte (IV, 5), de Phèdre pour échapper à l'époux (III, 4), d'Hippolyte pour fuir le Père (V, 3). A chaque instant l'interprète est mis en

garde : ainsi toute l'intervention d'Aricie à la scène 4 de l'acte V s'éclaire par l'interrogation de Thésée sur ce plaidoyer *commencé tant de fois, interrompu toujours* (v. 1452). Quant à Phèdre, Racine la suit pas à pas dans ses moindres mouvements. Écouter le texte, c'est mesurer la fébrilité du personnage, ses éclairs de lucidité, ses accès de délire, mais aussi ses réactions les plus instinctives, son insomnie, ses jeûnes, sa pâleur cadavérique, ses pleurs, sa rougeur, son trouble, sa rage des parures et son obsession de la nudité, l'horreur qui fait se dresser ses cheveux, son incommensurable tourment physique. Une mort sur la scène, fait unique chez Racine, suffit à montrer à quel point la matérialité des êtres et, ici, la coïncidence du dire et du faire, entre dans la thématique de *Phèdre*.

• *Relations*

Parallélisme et dynamisme

• *Phèdre* n'est pas un poème à une voix. Le premier titre était : *Phèdre et Hippolyte*. D'où ce remarquable parallélisme entre les grandes scènes :

Aveu d'Hippolyte à Théramène (I, 1) : 142 vers // Aveu de Phèdre à Œnone (I, 3) : 164 vers.

Déclaration d'Hippolyte à Aricie (II, 2) : 98 vers // Déclaration de Phèdre à Hippolyte (II, 5) : 137 vers.

Procès d'Hippolyte par Thésée (IV, 3) : 122 vers // Procès de Phèdre par elle-même (IV, 6) : 115 vers.

Monologue angoissé de Thésée (IV, 4) : 10 vers // Monologue angoissé de Thésée (V, 4) : 10 vers.

Combat d'Hippolyte contre le monstre (récit de Théramène) // Combat de Phèdre contre elle-même (6 premières scènes de l'acte V).

Mort d'Hippolyte (V, 6) : 73 vers // Mort de Phèdre (V, 7) : 23 vers.

• Parallélisme qui se retrouve dans les situations :

3 personnages devant l'amour interdit : Phèdre, Hippolyte, Aricie.

2 accoucheurs de vérité :

— Théramène qui empêche Hippolyte de partir en lui arrachant l'aveu de son amour pour Aricie;
— Œnone qui empêche Phèdre de mourir en forçant son secret.

Les réactions de Thésée :

— 2 implorations à Neptune ;

— il n'a pas le temps d'interroger une deuxième fois Œnone (V, 4).

3 moments où Phèdre rompt le silence :

— devant Œnone (I, 3) ;
— devant Hippolyte (II, 5) ;
— devant Thésée (V, 7).

Ce même parallélisme se manifeste, si l'on superpose les répliques, dans l'expression des sentiments. Et surtout scènes et situations interfèrent sans cesse, car dès le début éclate une seule obsession : Thésée.

• Ainsi les péripéties annoncées par Panope et Œnone (I, 5 et III, 3) sont la conséquence inéluctable des discours précédents. La mort de Thésée est un produit du rêve d'Hippolyte (thème *Hippolyte partant*) et surtout du jeu d'Œnone organisant par son chantage une sorte de simulacre funèbre pour que Phèdre puisse avouer et vivre (thème *Phèdre mourante*). Mais l'on sentait en même temps par le récit de ses exploits, par les illusions des personnages, par la faillibilité de la rumeur, que Thésée ne pouvait mourir et qu'il resurgirait à l'heure fatidique. Par son retour, Thésée devient alors ce qu'il n'a jamais cessé d'être : le centre de l'action. Phèdre ayant échoué devant Hippolyte laisse Œnone la venger : échec de l'épée, revanche par la délation. Quand elle apprendra de la bouche même de son époux qu'Hippolyte aime Aricie, son histoire rejoint l'histoire du couple Hippolyte-Aricie : déflagration de la jalousie, inévitable dénouement.
En réalité, c'est par de vastes mouvements concentriques que la tragédie va à son terme. Chaque acte se gonfle, à mesure, des scènes le composant et l'ensemble est emporté dans l'infernal tourbillon : le récit de Théramène en sera le condensé et le suprême aboutissement. Si Phèdre apparaissait en implorant la puissance solaire, elle s'éteindra en s'effaçant de la lumière. Si Hippolyte brûlait d'embarquer moins pour chercher son père que pour fuir Aricie, c'est la mer même qui lui portera la mort afin que Thésée en adoptant sa captive ferme la tragédie. Circulairement.

Le jeu des regards

On sait qu'il y a, chez Racine, un incessant jeu de regards, un véritable fétichisme des yeux pour reprendre le mot de Barthes. Une double hantise affole les héros : peur d'eux-mêmes, peur d'être autres. Car, pour eux, « être vu implique toujours la honte » (Starobinski).
Parce qu'ils ont peur de leur passion, ils font tout pour la cacher. Mais leur propre regard les trahit. Théramène à Hippolyte : *Chargés d'un feu secret, vos yeux s'appesantissent* (v. 134). Depuis trois nuits les yeux de Phèdre sont sans sommeil (v. 192). Dès la première rencontre le feu a pris. Hippolyte devant Aricie : *Dès vos premiers regards je l'ai vu se confondre* (v. d'Ismène 410). Aricie devant Hippolyte : *Mes yeux alors, mes yeux n'avaient pas vu son fils* (v. 436). Phèdre à l'appari-

tion d'Hippolyte : *Je le vis, je rougis, je pâlis à sa vue* [...] *Mes yeux ne voyaient plus* (v. 273, 275). Ce regard, c'est bien « le moment originel où la fatalité prend naissance » (Starobinski). La seule condition, ne plus se revoir, ne suffira pas. Dans le fond des forêts l'image d'Aricie poursuit Hippolyte. Le sillage d'un char remplit l'œil de Phèdre. Ainsi, revoir l'autre, c'est l'impossibilité de ne pas se dévoiler à lui. En revoyant Aricie, Hippolyte se *voit emporté* loin de lui (v. 536). Phèdre, devant Hippolyte, a déjà remplacé Thésée par son fils. Terreur de ce dernier qui détourne les yeux (v. 692) et ne pourra plus jamais *sans horreur* (*se*) *regarder* (v. 718). Puissance mortelle, en effet, du regard : « le seul regard de Phèdre corrompt Hippolyte » (Barthes). Phèdre, en réalité, ne voyait en face d'elle que la matérialisation de son désir fou. Elle reste pourtant assez lucide pour ne rien perdre des réactions de l'autre. Mais elle revivra la scène sous le regard de l'imagination. D'où la nécessité d'un tiers regard.
Théramène jouait déjà ce rôle auprès d'Hippolyte. Mais le regard d'Œnone est d'une vigilance autrement exacerbée. Elle ramène sa maîtresse sur terre : *Que Phèdre en ce moment n'avait-elle mes yeux !* (v. 780). Il faudra que Thésée lui apprenne qu'Hippolyte aimait Aricie pour que les yeux de Phèdre se dessillent enfin (v. 1210). Mais c'est pour que la vision du couple heureux captive aussitôt son regard halluciné :

> [...] *Par quel charme ont-ils trompé mes yeux ?*
> *Comment se sont-ils vus ?* (v. 1230-1231)

C'est aussi pour qu'elle comprenne combien l'amour véritable se situe au-delà de l'être physique.
Le confident n'est donc qu'une sorte de miroir grossissant qui renvoie le héros à lui-même. Mais il y a tout à craindre du regard de l'antagoniste. Phèdre tremble devant la menace du regard d'Hippolyte (v. 840). Quel rapide et lourd échange de regards à la fin de la scène 3 de l'acte III (v. 909-910) :

> ŒNONE : *On vient, je vois Thésée.*
> PHÈDRE : *Ah ! je vois Hippolyte.*
> *Dans ses yeux insolents je vois ma perte écrite.*

Phèdre se trompe et c'est la perte même du jeune homme qui se joue à l'instant. « Un malentendu sur un regard », tel est pour Jean Pommier le sujet de l'action dans *Phèdre*.
On pourrait dire que Thésée est à lui seul une multitude de regards, qu'il est le regard incarné. Son regard, dit-on, a percé jusqu'aux infernales ombres, il voit ce que les mortels ne voient pas. Son regard absent pèse sur toute la première moitié de la pièce. Pendant ce temps il

voyait les horreurs dont était victime son compagnon Pirithoüs et il ne cherchait qu'à échapper au regard du tyran qui le retenait. Mais les dieux l'ont enfin *regardé* (v. 967). Il ne peut à son retour qu'apprécier avec ironie un tel égard. Il revenait en hâte vers sa femme et son fils pour se *rassasier d'une si chère vue* (v. 974). Et voilà que tout fuit à son approche. Thésée ne sera plus que le regard enquêteur et le regard juge. Aveuglé par l'amour et la rage, il ne voit la vérité qu'à travers *un nuage odieux* (v. 1431). S'il chasse Hippolyte (*ôte-toi de ma vue*, v. 1154), son œil pourtant n'a jamais cessé d'être troublé (v. 1036). C'est pourquoi le récit de Théramène a une telle ampleur, une telle « étendue », comme dit Barthes. Le texte est volontairement descriptif : *J'ai vu, Seigneur, j'ai vu votre malheureux fils* (v. 1547). La mort d'Hippolyte consacre le caractère spectaculaire du héros. Mais il faut aussi que Thésée voie l'étendue de sa faute. Avatar d'Œdipe, c'est en se crevant les yeux à l'effrayante vérité que Thésée sera enfin éclairé. Quant à Phèdre, elle a voulu mourir pour échapper à l'armée de regards qui l'assiègent. Accepter de vivre, c'est subir leurs assauts. Et ces regards finissent par la symboliser tout entière. Sa part de nostalgie : le Soleil, ce « regard absolu » (Starobinski). Sa part solaire sur terre : Hippolyte à qui elle ne parlera qu'une seule fois. La tentation : Œnone, ce regard maléfique. L'impensable : Aricie, qui n'existait pas, et qui devient l'image d'un rêve réalisé. Le désir et la honte : Vénus dont le regard accompagne sa chute (v. 813). Le jugement des hommes : Thésée qu'elle n'ose affronter que dans un affolement aussitôt bloqué par sa révélation (IV, scène 6). Le jugement des dieux : hallucination-choc de Minos, ce regard de nuit. L'univers entier (v. 1276) n'est plus qu'un œil énorme où flamboie la faute. Si le cadavre d'Hippolyte est éparpillé dans les ronces, celui de Phèdre s'affaisse, dans une sorte d'expiration apaisée, sous les regards de tous les survivants à l'exception d'Aricie, devant les spectateurs eux-mêmes, chœur éternellement renouvelé.

La métaphore obsédante du Jour et de la Nuit

Étymologiquement, Phèdre, c'est Phaëdra, la Brillante. Généalogiquement, c'est la petite-fille du Soleil. Elle est faite pour rayonner. Mais elle est en même temps, comme sa mère Pasiphaé, victime de Vénus qui se venge d'Apollon. C'est pourquoi, chez Racine, Vénus est consubstantielle à Phèdre, Vénus qui est la Passion, la Flamme. Mais en elle subsiste le reflet du dieu solaire, le regret du Jour perdu. Telle est l'ambiguïté de Phèdre-Flamme. Et c'est pour cela qu'elle est fascinée par Hippolyte, lequel, à l'origine, représentait aussi la constellation du Cocher.

Thésée fut un instant l'homme du Jour, celui qui tira Phèdre de son univers labyrinthique. Mais il ne pouvait être l'homme de Phèdre qui l'a renvoyé à sa nuit. Hippolyte est pour elle le seul synonyme du

Jour. Mais il est aussi le corps dont elle a envie, qui la fait délirer de désir. La métaphore classique des *feux* ne doit pas faire oublier sa violence originelle. Racine définit admirablement Phèdre par l'antithèse de la *flamme noire* (v. 310).
Parce que l'amour et le rêve la font ainsi brûler, elle recherche l'obscurité. Elle se cache dans le noir de sa chambre. Elle aspire après **l'ombre des forêts.** Mais elle sait bien que seule l'ombre définitive de la mort la déliera d'elle-même. Tant qu'elle vit, elle ne peut que buter sur la contradiction Nuit-Feu. Aussi la voit-on tour à tour haïssant le Jour qu'elle vient chercher ou rejeter les parures royales qui abritaient sa fureur. Quand le couple Hippolyte-Aricie a traversé son délire, elle crie sa jalousie, mais chante aussi son envie :

> *Le ciel de leurs soupirs approuvait l'innocence;* [...]
> *Tous les jours se levaient clairs et sereins pour eux* (v. 1238, 1240).

Elle n'en sera que plus consciente d'être le *triste rebut* (v. 1241) de la nature. La Vénus noire triomphe et fait d'elle une criminelle. La nuit du monde terrestre lui a fermé ses portes. Elle n'a plus que son père qui est aux enfers. C'est pourquoi la *flamme noire* suscite la vision infernale (v. 1977-1980).
Mais alors qu'elle est au fond de l'abîme, Phèdre tentera un effort désespéré. Devant Thésée, elle viendra blanchir Hippolyte dont elle a consenti à *noircir l'innocence* (v. 893). Ne voyant plus **le jour qu'à travers un nuage,** elle profère, dans l'alliance retrouvée du **ciel** et de l'**époux,** ses dernières paroles :

> *Et la mort, à mes yeux dérobant la clarté,*
> *Rend au jour, qu'ils souillaient, toute sa pureté* (v. 1643-1644).

Que pouvaient le regret du Soleil et la vertu de Minos auprès de Vénus, Pasiphaé, Œnone, Thésée, Hippolyte et Aricie, le hasard et le destin ? Pourtant Phèdre essaie d'opposer *le reste* qu'elle est à cette fatalité de la nuit. Certes Hippolyte lui aussi, étant victime d'un amour interdit, a sa part des ténèbres. Seulement il pourra proclamer, lui :

> *Le jour n'est pas plus pur que le fond de mon cœur* (v. 1112).

Car, à l'image d'Aricie, il incarne une innocence qui fait scandale. L'illégalité de sa passion masque l'anormalité de sa nature. Aussi la lumière émanant d'Hippolyte est-elle une provocation. Quant à Thésée, il n'est sorti de la longue nuit de l'absence que pour s'enfoncer dans la vertigineuse nuit de son enquête. Son problème est d'ordre seulement dramatique. C'est involontairement, bêtement presque, qu'il a lancé le drame. Rien à voir avec Phèdre dont la présence met le monde en cause. Son destin est de brûler tout ce qu'elle approche pour l'anéantir, avec elle, dans sa nuit. Mais en regrettant que ce ne soit pas la nuit solaire. Contradiction essentielle. *Vertu douloureuse* comme le notait Boileau (*Jugements*). Le dernier mot de Phèdre, *pureté*, est aussitôt recouvert par la condamnation de Thésée : *une action si noire* (v. 1645). Jusqu'au bout la métaphore du Jour et de la Nuit a, dans *Phèdre*, fonctionné, entraînant avec elle, au-delà des acteurs, la création même.

Le tragique et le politique

Certes le problème politique n'a pas la même importance chez Racine que chez Corneille. Mais comment mettre en scène les princes et les grands de ce monde sans qu'ils aient à l'affronter ? Et comment ignorer le goût du public pour les thèmes politiques? Bien entendu, le genre tragique excluait tout débat de fond sur ce sujet : une tragédie n'est pas un traité politique. Mais si le théâtre de Racine est un théâtre des passions, il n'exclut pas la politique. Il y a chez lui des tragédies dont elle fait partie intégrante : ainsi *Britannicus* et *Mithridate, Esther* et *Athalie*. Mais il arrive aussi que, même dans une pièce comme *Phèdre* où le mythe prime l'histoire et où ces héros avoisinent les monstres et les dieux, elle constitue un thème intéressant.
Car il y est bien vite question de la légitimité du trône. Thésée est, nous le savons, roi de Trézène (Péloponnèse), de la Crète (par son mariage avec Phèdre), et d'Athènes qu'il organisa en cité. Mais les héritiers légitimes d'Athènes étaient bien les Pallantides (Aricie en est une), qui, eux, descendaient directement d'Érechtée. Comme ils avaient conspiré pour reprendre le pouvoir, Thésée les a tous massacrés. Ainsi l'interdiction qui pèse sur Aricie a un motif essentiellement politique. Hippolyte, s'il veut épouser Aricie, se déshérite lui-même.
Déjà, de par sa situation, Hippolyte est politiquement à part. Il est fils de Thésée et d'Antiope, reine des Amazones du Pont-Euxin. Il est donc un de ces Scythes que les Grecs authentiques (Attique, Péloponnèse, Crète) traitaient, avec quel souverain mépris, de barbares. A cet égard, Panope a le même langage qu'Œnone (v. 202, 328). Et sur Hippolyte pèse la fatalité de l'exilé. Élevé à Trézène, loin d'Athènes et de sa cour, il a toujours recherché la solitude et cultivé la rudesse (v. 32). S'exilant lui-même à Trézène, il lui suffit d'apparaître à Athènes pour que Phèdre éblouie et enflammée l'exile à nouveau avant qu'à l'issue du drame actuel il soit définitivement banni de Trézène par son père. Hippolyte : l'apatride ou l'homme de nulle part.
A la nouvelle que Thésée est mort, éclate une sorte de guerre de succession. A qui reviendra l'empire de Thésée ? Hippolyte en a sur-le-champ décidé : Trézène lui reste, Athènes sera rendue à Aricie, Phèdre

rejoindra la Crète avec ses fils (Acamas et Démophon). Un plan est alors esquissé : Phèdre, sur le conseil d'Œnone et après concertation avec ses amis (v. 396), veut solliciter l'appui d'Hippolyte contre Aricie (v. 487) ; Hippolyte, de son côté, veut s'unir à Aricie contre Phèdre (v. 508). C'est, d'ailleurs, dans une intention politique que les entrevues déterminantes ont lieu : Phèdre veut parler à Hippolyte pour son fils, et Hippolyte voit Aricie pour lui signifier son projet. Mais le problème politique est bien vite emporté dans le tourbillon passionnel.

Chaque clan, avec appuis solides, joue une partie serrée. Pas pour Trézène, qui est à Hippolyte (v. 479), ni pour Cnossos, qui est à Phèdre. Mais c'est d'Athènes que tout dépend, d'Athènes qui est la capitale de l'empire. Hippolyte, s'il a pour lui le droit (v. 491), a contre lui les lois qui excluent le fils de l'étrangère (v. 489). Le trouble gagne Athènes qui hésite d'abord entre le fils de Phèdre et le fils de Thésée et où s'activent les partisans d'Aricie (v. 327-330). Au port, le bateau d'Hippolyte se tient prêt à appareiller.

Les événements se précipitent. On apprend que Phèdre a le dessus, les dix tribus ayant voté pour son fils. Un héraut est déjà arrivé pour l'honorer en même temps que le nouveau roi. D'où la double décision dictée, en réalité, par la seule passion : Hippolyte luttera jusqu'au bout *(quelque prix qu'il en puisse coûter*, v. 735) pour imposer sa volonté à la cité rebelle ; quant à Phèdre, que les honneurs exaspèrent encore plus (v. 738) et qui s'est trompée sur l'impatience d'Hippolyte à partir, elle lui sacrifierait volontiers et son fils et le trône (v. 795 et suiv.).

Mais la résurrection du Roi, celui à qui sont dévolus tout pouvoir et tout droit, restaure l'ordre. Dès son retour, il ne sera plus question de politique. Son omnipotence l'interdit.

L. Goldmann a, dans une perspective marxiste, fait du lien entre le tragique et le politique, l'essentiel. Ainsi Phèdre incarnerait le courant du jansénisme intransigeant pour lequel il n'est pas de compromis possible avec une société organisée par la monarchie absolue. Le drame se jouerait alors sous le regard lointain d'un **dieu caché** identifié ici à Vénus et au Soleil. Le seul personnage à être vraiment doué d'existence, c'est évidemment Phèdre, symbole tragique, dans son exigence d'absolu (car elle aspire à la réunion des contraires : gloire et passion, pureté et amour interdit, vérité et vie), du refus d'un monde dévalué où Hippolyte, Aricie, Thésée, Œnone ne sont que de pâles figurants. Interprétation qui, on s'en doute, pose plus de problèmes qu'elle n'en résout : ainsi ce monde réduit à néant, Phèdre, du moment qu'elle accepte de vivre, ne rêve plus que d'en jouir à travers Hippolyte. Et tous ces personnages qui s'agitent autour d'elle contribuent aussi, chacun à sa manière, en fonction de sa psychologie profonde et de ses aspirations cachées, à la représentation tragique.

2 La figuration tragique

• *Images du labyrinthe*

La symbolique du labyrinthe

Phèdre appartient au passé mythique de l'humanité avec ses dieux et ses monstres, ses héros, ses légendes et son labyrinthe, figure essentielle du drame. La victoire de Thésée, symbolisée par la mort du Minotaure, fruit du Taureau et de Pasiphaé, demi-frère de Phèdre et d'Ariane (qui devint, elle aussi, une constellation), en fit un autre Hercule. Dès la présentation d'Hippolyte et de Phèdre, la figure du labyrinthe est dessinée. Par l'exaltation de Thésée : *Et la Crète fumant du sang du Minotaure* (v. 82). Par la nostalgie de Thésée : *Ariane, ma sœur, de quel amour blessée...* (v. 253). Et dans sa déclaration à Hippolyte, Phèdre recréera l'épopée : texte central dans la symbolique du labyrinthe (v. 649-659).
Le cœur humain est la figure même du labyrinthe. Tapie au fond de sa prison, Phèdre se refuse à sortir à la lumière. Hippolyte veut fuir cette Aricie dont le nom évoque si bien Ariane même. Les personnages se heurtent à leur propre incompréhension. Le labyrinthe ne peut que susciter l'égarement. Hippolyte se *cherche* et ne se *trouve* plus (v. 548). Un vertige secoue Phèdre : *Insensée ? où suis-je ?*, telles sont les interrogations qui scandent son délire. L'image de sa mère Pasiphaé l'obsède (v. 250). Le labyrinthe est la figure de l'amour-mort. Hippolyte *périt* de son mal (v. 136). Phèdre *périt* de sa passion (v. 258). Dans le texte-labyrinthe où Phèdre se déclare par le détour de l'aventure recréée, elle se substitue à Ariane pour séduire Hippolyte substitué à Thésée. Se faire écouter, c'est *perdre* Hippolyte avec elle en l'enfermant sous le filet de son imagination. Cette descente au labyrinthe préfigure évidemment la descente aux enfers de la scène 6 de l'acte IV. Quant au héros de Cnossos, son absence mystérieuse eut pour cadre *les cavernes sombres* de l'Épire que la rumeur identifiait aux Enfers mêmes. *Rivage des morts, avare Achéron* : autant d'expressions lancinantes représentant la funèbre prison de Thésée, qui se perdra justement à son tour dans son propre vertige.
Mais c'est le décor tout entier qui figure le labyrinthe. Par ses voûtes, le palais royal représente la concavité infernale. A l'image des forêts et de la mer. C'est de la mer que jaillira le monstre aux *replis tortueux* (v. 1520). Comme si le Minotaure tué par Thésée, ressuscitait en lui, projection de sa folie carnassière. Même le discours suit on ne sait trop quels méandres. Aveux, déclarations, protestations, plaidoyers empruntent *mille détours*. Mais les mots ne se reprennent jamais et, à peine prononcés, ils entraînent l'engrenage.

Le fil/l'épée/le chemin

Terre, mer, enfers et labyrinthe se répondent. A Phèdre et Ariane, filles du labyrinthe, s'opposent Hippolyte, Thésée, Aricie, nés de la terre. Mais Ariane et Phèdre sont marquées de leur origine solaire. Ariane possède le fil magique qui guide et sauve. Fil qui symbolise le don de soi, la générosité maternelle. Mais le fil était trop ténu pour retenir l'ingrat Thésée. Le destin de sa sœur a provoqué en Phèdre une véritable *angoisse d'abandon*, selon Charles Mauron. A cette dernière de renouer le fil du passé en jouant et en exprimant devant Hippolyte son fantasme. Mais Thésée lui-même n'a pas définitivement tué le Minotaure : avec Ariane le cortège de ses victimes le poursuit, préparant leur vengeance. *La Parque homicide* (v. 469), autre fileuse, ne l'a relâché de l'Épire que pour le ramener dans sa nouvelle prison.
Phèdre, de son côté, attendait tout d'Hippolyte en qui elle voyait l'incarnation même de la fidélité. En cherchant par tous les moyens à l'unir à elle, elle lui arrache son *épée*. Cette épée, touchée par Phèdre, est maintenant objet de répulsion (III, 1). Elle sera aussi la pièce à conviction, la preuve pour Thésée qu'Hippolyte a voulu violer Phèdre. Éros ayant échoué, Phèdre, par Œnone interposée, voudrait reconquérir Hippolyte en lui déléguant le sceptre. Après la séduction des sens, la séduction du pouvoir.
Mais Hippolyte ne sera ni père ni roi. Lui qu'une seule obsession tenait, fuir Trézène, sera forcé de prendre *le chemin* de l'exil. Mais au bout du chemin, c'est la rencontre avec le monstre et l'éparpillement de son cadavre. La gueule enflammée du monstre anéantit tout. On dirait que sa mort même a la forme de labyrinthe de Trézène dont il n'a pu s'évader. Pendant ce temps, Phèdre s'est empoisonnée : c'est pour elle le seul chemin possible de la mort. Si elle n'a pas voulu du fer, c'est que l'instrument avait une signification redoutable et que seul le poison, parce qu'il lui donnait le temps de venir se confesser, avait cette vertu de régénération.

Les complexes

Qui dit **labyrinthe** pense aussitôt à **complexe**. Il faut dépasser la traditionnelle analyse de la complexité des caractères pour voir dans cette complexité même un « ensemble d'images étroitement unies et douées d'un potentiel affectif particulier » (Larousse). Quand le héros essaie de dénouer son complexe (sortir du labyrinthe), c'est pour établir avec les autres une relation d'agressivité qui tourne à la catastrophe.
Prenons le cas d'Hippolyte. Il a horreur de la vie amoureuse de son père et se présente toujours **fier, sauvage, farouche.** Aricie n'est pas loin de lui ressembler en ce domaine. Il y a chez ce jeune héros qui se défoule et s'accomplit dans le sport une provocation évidente. Hippolyte porte sa virginité comme un véritable spectacle (cf. II, 1). D'où sa

difficulté à s'exprimer, ce repliement sur soi dont aux yeux de Théramène la responsabilité incombe à son père (v. 116). Il a gardé l'allure primitive du favori d'Artémis. Et si Racine en a fait l'amoureux d'Aricie, c'est pour éviter tout malentendu : qu'auraient dit nos petits-maîtres ? Phèdre est fascinée par la *tête charmante* de ce jouvenceau (v. 627). La situation où l'a relégué son père n'arrange rien. Le voilà, en effet, figure d'eunuque, commis gardien de femmes (v. 929). C'est Thésée qui lui a imposé cette épreuve. Sa race (Antiope), son éducation (Pitthée) loin de la cour, son père, son caractère, tout concourt à le laisser dans cet état où il traîne son **oisiveté.** D'où le complexe d'infériorité qui en découle par rapport à son père. Hippolyte n'arrive pas à devenir lui-même, à devenir un homme. Sa passion pour Aricie est la première manifestation de sa révolte.

Se pose alors le cas de Phèdre qui ne se définit que par rapport au cas Hippolyte. Tout semble clair : une belle-mère aime son beau-fils avec, pour conséquence, l'adultère à l'égard de l'époux, l'inceste à l'égard du beau-fils. On pense à quelque complexe de Jocaste. Mais l'attitude d'Hippolyte n'est pas si simple. Inconsciemment, il subit l'attraction de Phèdre. Pourquoi a-t-il honte de Trézène qu'il veut fuir ? Réponse : c'est à cause d'Aricie. Mais la première réponse, c'était que tout avait changé à cause de *la fille de Minos et de Pasiphaé* (v. 36). Et à son père il dira : *je ne la cherchais pas* (v. 927). Hippolyte a peur de Phèdre et fait tout pour l'éviter (cf. I, 2, II, 3). Phèdre a corrompu Hippolyte et son aveu sera le secret de son cœur : désormais il est à jamais lié à Phèdre. Tendance inconsciente qui pousserait Hippolyte vers Phèdre ? C'est le point de vue développé dans la thèse de Mauron : Hippolyte ne se serait pas débarrassé de son complexe d'Œdipe.

Au centre de la démonstration : Hippolyte, moi conscient. Au-dessus de lui, Thésée, le Sur-moi. Au fond de lui, le Ça (ou l'Id). Phèdre est l'image à caractère incestueux de sa psyché. Ce désir incestueux s'accompagne de la condamnation du Sur-Moi. Par un principe bien connu de la psychanalyse, Hippolyte se met à haïr ce qu'il désire. Pour lutter contre son angoisse, il se rabat sur Aricie. Mais parce qu'il ne réussit pas à se délivrer de son complexe d'Œdipe, il ne s'unira jamais à Aricie. Le couple ne pourra pas naître. De plus, par son statut de captive, sœur des Pallantides massacrés par Thésée, propriété du roi, Aricie n'est pas sans rappeler Ariane (outre l'homophonie déjà notée). L'amante d'Hippolyte serait donc une sorte de double « sororal » de Phèdre comme dirait Barthes. La réalité de la situation serait atténuée par trois moyens : édulcoration de l'agressivité d'Hippolyte contre Thésée en la réduisant à un amour contraire à la volonté du père; inversion du désir coupable : au lieu du désir du fils pour la mère, on aura le désir de la mère pour le fils; bienséance enfin qui exige le remplacement de la mère par la belle-mère.

Peut-on également parler d'un complexe de Thésée ? S'il ressemble à Œdipe par sa fonction, puisqu'il ne trouve la vérité qu'après s'être aveuglé, il est, lui, le père qui tue le fils (Œdipe tuait son père Laïos et se crevait les yeux, symbole de castration). Le complexe de Thésée, c'est bien celui du père qui ne veut pas que son fils devienne adulte, qui se sent offensé par la présence provocatrice de son fils. Son long séjour dans les cavernes de l'Épire, où il fut à son tour surpris *sans défense et sans armes* (v. 961) comme Hippolyte devant Phèdre, ne préfigure-t-il pas ce moment où il devra céder la place ? Il ne resurgit alors que pour la vengeance, le meurtre accomplissant l'interdit.

• *Images du père*

Les monstres

Évoquer le labyrinthe, c'est encore en faire jaillir les monstres, manifestations de nos passions mais, essentiellement, signes inquiétants de la puissance paternelle.
L'univers n'est qu'un énorme théâtre réglé par les dieux. Mais des dieux cruels, monstrueux. Le Soleil lui-même est l'obsession de l'impitoyable feu. A Minos le Juste est réservé aux Enfers de devenir le bourreau de sa fille et de lui-même en fonction de la réversibilité de la monstruosité. Le Minotaure est le propre petit-fils du Soleil. Vénus en qui s'incarne Phèdre symbolise la faute originelle. Neptune, le dieu tutélaire de Thésée, et son père d'après la légende, maître des chevaux et de la mer, accompagne lui-même le monstre surgi des eaux. Les dieux n'agissent que pour le mal. Téméraire qui se fie à eux.
Figuration de nos délires, la plus effrayante illustration en est le taureau-dragon du récit de Théramène. La présence de Neptune piquant le flanc des chevaux (v. 1539-1540) renvoie à Thésée. Lequel semble bien représenté dans l'aspect **dragon impétueux** du monstre. Quant à son aspect **taureau**, il renvoie évidemment à la Crète, à Phèdre-Œnone. Car le monstre est suscité par le suicide d'Œnone dans la mer. Or Œnone, c'est la face sombre de Phèdre qui, dans un sursaut de lucidité, la voit enfin telle qu'elle est : *Va-t'en, monstre exécrable* (v. 1317). Ainsi ce monstre aux *cornes menaçantes*, aux *écailles jaunissantes*, à la *gueule enflammée*, incarne aussi Phèdre par Œnone interposée. Son absence, du reste, depuis la fin de l'acte IV a rendu possible à l'esprit sa transfiguration en monstre. Comme elle rend aussi possible sa décision d'en finir avec le monstre qu'elle est.
C'est Phèdre qui se désigne elle-même ainsi (cf. v. 701-703). Aricie le fait clairement entendre à Thésée (v. 1443). L'obsession d'Hippolyte à vouloir s'affirmer contre son père en se lançant à l'assaut des monstres veut tout dire (cf. v. 948). Sadique en laissant accuser Hippolyte, masochiste en se torturant elle-même, telle est Phèdre la monstrueuse.

Le fils d'Antiope, du moins, ne fut pas enfanté, comme Phèdre, par un monstre (v. 520). Ce qui ne l'empêchera pas d'être traité de monstre. Phèdre qu'il a rejetée le voit comme un *monstre effroyable* (v. 884). Thésée le condamne comme le monstre qui a voulu violer sa femme (v. 1446). Thésée, chasseur et vainqueur de monstres, devait pourtant affronter des monstres encore plus redoutables puisqu'il s'agit pour lui aussi de son propre démon. Il s'est évadé des cavernes d'Épire après avoir jeté en pâture le tyran à ses monstrueux molosses (v. 970). Ces monstres qui dévorèrent Pirithoüs préfigurent également le monstre du récit de Théramène. Thésée, qui leur échappa par miracle, a dès lors perdu de sa confiance. Il s'en remettra à Neptune, aux forces qu'il ne contrôle plus, c'est-à-dire au monstre qui est en lui. Comme si le destin des pères était, chez Racine, de se repaître, pour subsister, de leur propre sang.

Le sang

Un des leitmotive éclatants de la tragédie, l'image du sang, n'est pas une simple allusion à la famille, mais a une réalité biologique significative puisqu'elle a cette consistance engluante où s'imprime la Fatalité. Le père lui-même est tributaire d'une telle force.
Il est normal que le sang soit d'abord, car il signifie la vie et la race, synonyme de légitimité. Aricie, *reste du sang d'un roi noble fils de la terre* (v. 421), est le personnage le plus pur de la tragédie. A quoi s'ajoute l'auréole du malheur. Quand ses frères furent massacrés, la terre *but à regret* leur sang (v. 426). C'est justement pourquoi ce sang est condamné. Il est *fatal* (v. 51) et la famille de Pallante ne pourra jamais aspirer au trône (v. 330). D'où pour Aricie l'interdiction absolue de l'hymen. Le tragique ici exclut totalement la réhabilitation des victimes innocentes.
Au tribunal de Thésée, Hippolyte appelle à son secours sa mère amazone. D'un si noble sang il n'a point, proclame-t-il, *démenti l'origine* (v. 1102). Et de mettre en accusation les horreurs du sang de Phèdre (v. 1151). Thésée ne reconnaîtra le *généreux sang* d'Hippolyte qu'en apprenant de Théramène son héroïque combat (v. 1556).
Par son aïeul Jupiter, Phèdre appartient *au plus beau sang de la Grèce et des dieux* (v. 212). *Digne sang de Minos* (v. 755), elle n'a pas tout perdu du sens de sa gloire (v. 862-863). C'est le sang maternel, celui de Pasiphaé, qui est corrompu par le maléfice de Vénus. Aussi l'angoisse de Phèdre est-elle à proportion de la conscience qu'elle a de sa fierté. Tout aujourd'hui l'anime contre son sang : sa mère, sa sœur (v. 256). A la vue d'Hippolyte, tout son sang reflue (v. 581). Le sang qui la maintient en vie porte en même temps le désir. D'un type plus archaïque, Œnone, dans son affolement, s'imagine Phèdre trempant ses mains

dans le sang innocent (v. 220). Vision qui s'emparera de Phèdre quand elle ne sera plus que force instinctive, toute sauvagerie. Écho pathétique au vers 220, elle rêve de plonger ses mains *dans le sang innocent* d'Aricie (v. 1272). Elle venait alors d'échapper à Œnone, car elle avait entendu *crier* à travers les murs le sang d'Hippolyte (v. 1172). Dans son face à face hallucinant avec Minos, elle le voit devenir bourreau de son propre sang (v. 1288).
A Minos bourreau de sa fille répond Thésée bourreau de son fils. Thésée est obsédé par le sang, car il est le sang personnifié, celui qui donne la vie et l'enlève. Héros sanglant, il a massacré les Pallantides et condamné Aricie à la stérilité. La même malédiction pèse sur Hippolyte. Hippolyte lui appartient, comme Phèdre. Or Hippolyte, crime suprême à ses yeux, a rompu *les liens du sang* (v. 1011). D'où le sacrifice sanglant du fils : *Étouffe dans son sang ses désirs effrontés* (v. 1073) criait Thésée à Neptune. Le mot *sang* traverse en traits de feu le récit de Théramène. A l'apparition du monstre le *sang s'est glacé* dans les cœurs (v. 1511) ; sa gueule enflammée crachait avec le feu et la fumée du *sang* (v. 1534) ; le cadavre d'Hippolyte ensanglante le chemin (v. 1556) ; à la *sanglante écume* des chevaux (v. 1538) répondent *les dépouilles sanglantes* du héros (v. 1558). Il ne reste plus à Thésée qu'à aller *mêler (ses) pleurs au sang de (son) malheureux fils* (v. 1648). Cette fécondation du sang par les pleurs, substitut tragique d'une fécondation interdite, institue-t-elle un revirement ?

La faute

A partir de *Mithridate* apparaît dans la tragédie racinienne le thème de la culpabilité. C'est-à-dire dès qu'intervient le Père. Le Père revient pour punir la faute. A Thésée d'assumer, dans Phèdre, ce rôle redoutable. Le père est le personnage tout-puissant. Il a tous les droits. Il a le pouvoir politique, puisqu'il est le Roi. Il règne sur son fils plus en ennemi qu'en père et sur sa femme plus en conquérant qu'en époux. Thésée est l'éternel ravisseur qui abandonne ses victimes. Il a enlevé Aricie à ses frères pour en faire une esclave vouée par lui à la stérilité (v. 432). Il n'est question d'Antiope que comme d'un lointain souvenir. Par le caractère officiel du mariage Phèdre n'est, selon la loi du mâle, que sa propriété, sa chose. L'expédition en Épire était organisée, fût-ce à contrecœur, pour un nouvel enlèvement.
Ce père souverain jouit, en conséquence, d'un extraordinaire prestige. Mais Hippolyte et Aricie n'admiraient le héros que pour se scandaliser de l'amant. Tout le drame du fils est précisément dans cette dépendance du Père, dans cette fascination horrifiée pour un homme qui ne peut être héros qu'en étant à chaque fois infidèle. Comme si sa gloire s'établissait sur la faute. Et sa situation sur la cruauté.

Dès le début Hippolyte est piégé par lui. Il a pour mission de garder les femmes pendant son voyage. Rompre le contrat, ne serait-ce qu'en voulant partir à la recherche de son père, c'est déjà une dangereuse volonté d'émancipation. Car Thésée incarne pour Hippolyte et Aricie l'interdit. Son absence pèse d'un poids si effrayant que le croire mort devient pour tous d'une nécessité vitale. L'éloignement de Thésée est une épreuve qu'Hippolyte et Phèdre ne peuvent surmonter. Ils avouent leur passion, et la nouvelle de la disparition du roi donnera à leurs aveux une redoutable efficacité. Ils vivent dès lors dans l'illusion que tout est possible. Mais si « l'absence du Père constitue le désordre, le retour du Père institue la faute » (Barthes). Or ce retour est dans l'ordre : Thésée est l'autorité qui ne peut disparaître, qu'on trouve toujours avant et devant soi, face terrestre de l'immuable. Comment accepterait-il que son fils revendique son accession à la responsabilité d'homme ? La moindre tentative engendre chez ce dernier un complexe de culpabilité. Chez Phèdre le sentiment de la faute tourne à la névrose. Dès qu'a couru le bruit de la mort de Thésée, une seule obsession anime, au-delà de l'ivresse de leur libération, tous les personnages : que le Père soit remplacé par le fils. Ainsi l'on voit Hippolyte rendre à Aricie sa liberté, lui offrir le sceptre, répartir l'Empire à sa volonté, se comporter enfin en roi. Phèdre elle-même non seulement substitue Thésée à Hippolyte, mais encore le supplie d'être le père de son fils (v. 1805).

La scène la plus pathétique sera (car Thésée aime son fils) celle où il l'enverra à la mort. Même s'il n'y avait pas eu la déclaration de Phèdre à Hippolyte ni, en conséquence, de délation, cela n'eût pourtant rien changé à la situation du jeune homme : jamais il n'aurait eu le droit d'aimer Aricie. Ce qui n'empêche pas le fils de continuer à aimer son père. Mais il n'y a qu'Œnone à croire qu'*un père en punissant est toujours père* (v. 901). Car Thésée, c'est l'implacable loi de la vendetta. « Tout Racine, écrit Barthes, vient de cet instant paradoxal où l'enfant découvre que son père est mauvais et voudrait rester son enfant. » Mais pour prouver à tout l'univers qu'il était digne de son père, Hippolyte devra mourir en héros. Compensation mythique d'une impossibilité fondamentale à se réaliser dans la vie.

Est-ce à dire que Thésée peut tout se permettre ? Qu'au-dessus de lui il n'y ait rien ? Antérieur à Thésée, qui dépend de lui, il y a Poséidon-Neptune. En voulant éprouver Hippolyte, Thésée s'est condamné lui-même. Il n'a rien retenu de son aventure en Épire. Il sera puni par où il a péché, c'est-à-dire par son inconscience. Thésée croit Œnone parce qu'il ne peut croire qu'en fonction de ce qu'il est. Sa propre culpabilité est châtiée par Neptune. Thésée tue son fils et Neptune frappe Thésée en plein cœur. Certes il adoptera, pour finir, Aricie. Mais la tragique ironie veut que la captive reste ce qu'elle était déjà : la propriété du Père.

Un autre Père règne dans l'au-delà, celui de Phèdre, Minos le Juste. Mais il n'a lui-même engendré que des monstres. Aucune compréhension, là non plus, entre le Père et la fille, aucune possible réconciliation. Éternellement Minos sera le bourreau de sa fille. Mais Phèdre a, du fond de sa nuit, lancé un cri suprême : *Pardonne*. Il n'est donc pas de place, dans *Phèdre*, pour la moindre loi d'amour ? Le miracle pourtant est que tout au long de tant de trouble et de folie n'ait cessé de murmurer, s'accomplissant dans l'ultime instant de la tragédie, cette purifiante mélodie.

Tels sont, à grands traits tracés, quelques thèmes de *Phèdre*. Certes une étude plus fouillée et plus systématique en révélerait beaucoup d'autres. On pourrait, par exemple, analyser encore les thèmes du *secret*, de *la trahison* ou de *l'enlèvement*. Ou mieux explorer tel fantasme, telle image onirique. Ou suivre le jeu des allégories ou des métaphores afin d'en mesurer l'originalité par rapport au langage du temps et des modèles antiques. Ou tenter de cerner la part de la vision janséniste. Du point de vue sociologique enfin, le domaine reste vaste où se pressent les interrogations : qui applaudissait Racine, qui pleurait à ses pièces, quel rapport ont ses héros avec ses contemporains, qu'en attendaient-ils, quel lien unit le Père à Louis XIV ou à la cellule répressive de Port-Royal ? Reconnaissons, en tout cas, que la curiosité passionnée de la nouvelle critique pour *Phèdre* témoigne plus que jamais de l'actualité littéraire de Racine. Mais reconnaissons aussi qu'on ne peut réduire *Phèdre* ni à un traité de psychanalyse, ni à un essai anthropologique, ni à la représentation d'un malaise historique, ni à un jeu de linguiste. Car, au bout du compte, on oublie qu'il s'agit là d'une pièce de théâtre, avec des personnages en chair et en os, et que la magie du discours a enchanté et bouleversé les générations. Lire Racine, c'est d'abord retrouver cette joie.

La langue de Racine dans Phèdre

• *La langue de l'époque.*

Dans la langue générale du XVIIe siècle, on remarquera la richesse du vocabulaire psychologique et intellectuel, c'est-à-dire l'abondance des mots qui servent à exprimer des sentiments, des dispositions morales, des idées abstraites. On notera également que certains mots avaient un sens plus fort que dans la langue actuelle; d'autres un sens plus large ou, au contraire, plus restreint. Un grand nombre de termes empruntaient à l'étymologie latine ou à l'usage du vieux français une signification qui s'est, depuis, affaiblie ou effacée.
En outre, la noblesse du genre tragique, la place qu'y tenaient la galanterie et l'amour, l'influence de la société polie et précieuse dont le poète recherchait les suffrages lui imposaient certaines habitudes de langage, notamment l'emploi d'expressions métaphoriques consacrées, dans lesquelles il ne faut pas chercher d'images concrètes et qui n'étaient que des façons de parler.

• *La valeur des mots.*

Faisons pourtant attention : de la modestie de son vocabulaire, Racine tire toutes ses possibilités. Ainsi : des mots comme *sang*, *monstre* ou *horreur* qui reviennent si souvent prennent dans leur contexte des sens variés, des résonances nouvelles que nous avons essayé chaque fois de noter.
En outre, dans une tragédie comme *Phèdre* où les passions s'expriment avec une rare violence, le vocabulaire de la galanterie est singulièrement dépassé. Quand les héros parlent de leurs *feux*, de *l'ardeur* qui les *brûle*, il s'agit bien d'une fièvre qui les consume corps et âme et les mène à la *fureur*, c'est-à-dire à la folie. Quand Phèdre évoque l'*ennemi* Hippolyte, ou tel personnage le *joug amoureux*, c'est bien d'un combat et d'une défaite qu'il est question. De même les mots *charmant*, *charmes*, *charmer* ont des sortilèges de l'incantation magique.
Mais *Phèdre* nous présente aussi les faibles mortels en proie à la cruauté des Dieux. Ainsi les termes *Ciel*, *Dieux* sont à prendre dans leur sens originel. Une terreur sacrée inspire les plus simples exclamations. La *fatalité* (le *fatum* antique) écrase ses victimes, unies par le même *sang*, que ce soit celui des aïeux de Phèdre, de son mari ou de leurs enfants. Sur la route de leur histoire, les *monstres* profilent leur ombre menaçante et au fond de leur âme d'autres *monstres* leur répondent.
Ainsi la fréquence obsédante de toutes ces expressions créent dans *Phèdre* une atmosphère d'exceptionnelle poésie.

Lexique

abusé : trompé.
affliger : accabler.
aigrir : irriter.
à peine : avec peine.
assez : trop.
assurer : rendre sûr.
audace : insensibilité.
austère : sévère, intransigeant.

balancer : hésiter.
bruit : renommée.

chagrins : tourments (cf. *chagriner*).
comblant : mettant le comble à.
commettre : confier.
confondre : bouleverser (cf. *confus.*).
course : départ.
couvrir : excuser.

d'abord : le premier.
débris : restes de la fortune.
découvrir : révéler.
déplorable : digne d'être pleuré.
dérober (*se*) : s'enfuir en cachette.
détester : maudire.

écarter : séparer.
éclaircir : éclairer.
encore : en outre.
ennuis : tourments.
envier : refuser.
étonner : frapper de stupeur.
expliquer : donner raison de, exposer.

fâcheux : importun.
farouche : d'une rudesse sauvage.
fatal : marqué par le destin (*fatum*).
fier : sauvage, cruel.
flatter : tromper.
foi : fidélité, parole donnée.
formidable : qui frappe de terreur.
funeste : qui entraîne la mort.

gêne : torture.
généreux : de noble race.

interdit : incapable de dire un mot.
inquiet : incapable de rester en repos.
irriter : exciter.

juste : justifié.
lumière : vie.

méconnaître : ne pas reconnaître.
mémoire : avenir.
misère : malheur.

neveux : descendants.
nouveau : qui s'ajoute à, imprévu.

objet : femme aimée; ce qui est placé devant les yeux.
opprimer : accabler, perdre.

parfait : achevé.
perfide : qui trahit la foi jurée.
plaindre : déplorer.
présence : aspect.
pressant : qui oppresse.
profane : impur.
pudeur : sens de l'honneur, réserve.

querelle : cause, parti.

rage : folie.
réciter : faire le récit de.
reliques : restes.
réprouver : rejeter.
respirer : souhaiter ardemment; exhaler une odeur.
retarder : empêcher de partir.
retraite : départ; lieu où l'on peut se retirer.
rompre : déchirer.

séduire : détourner du droit chemin.
sévère : intransigeant.
soin : *sg.* : « souci », préoccupation.
pl. : souvent « efforts », « zèle ».
superbe : orgueilleux.

tête : personne.
timide : craintive.
tout d'un coup : d'un seul coup.
transport : s'emploie au singulier et au pluriel. Tantôt « manifestations d'un amour violent », tantôt « manifestations de peur ».
travail : exploit.
triste : funèbre, malheureux.

TABLE DES MATIÈRES

RÉFÉRENCES DES PHOTOGRAPHIES

BOISSONAS : 28. BOUDOT-LAMOTTE : 29 (haut gauche et droite). GIRAUDON : 29 (bas). BOUDOT-LAMOTTE : 30 (haut). ROGER VIOLLET : 30 (bas). N. GIRARD : 31 (haut). GIRAUDON : 3' (bas gauche). ALINARI-GIRAUDON : 3! (bas droite). GIRAUDON : 32 (haut). HACHETTE : 32 (bas). GIRAUDON : 33. PIERPONT MORGAN LIBRARY : 34 (haut). DRESDEN DEUTSCHE FOTOTHEK : 34 (bas). HACHETTE : 35 (nos 1, 2, 3). PIC : 35 (no 4). R. VIOLLET-LIPNITZKI : 35 (no 5). BERNAND : 35 (no 6).

Imprimé en France — IMPRIMERIE HÉRISSEY, Évreux (Eure) - No 38517.
Dépôt légal : No 1603-11-1985 — Collection No 12 — Édition No 09

16/4675/1